中華國學經典百部

精華本

# 贞观政要

〔唐〕吴兢 编著

王光波 译注

中国书店

## 图书在版编目（CIP）数据

贞观政要 /（唐）吴兢编著；王光波译注 .—北京：中国书店，2023.10

（中华国学经典百部：精华本）

ISBN 978-7-5149-2963-8

Ⅰ .①贞… Ⅱ .①吴… ②王… Ⅲ .①典章制度–中国–唐代②《贞观政要》–译文 Ⅳ .① D691.5

中国版本图书馆 CIP 数据核字（2022）第 075447 号

**贞观政要**

〔唐〕吴兢 编著　王光波 译注

责任编辑：陈小莉

---

出版发行：中国书店

地　　址：北京市西城区琉璃厂东街 115 号

邮　　编：100050

电　　话：（010）63171753（总编室）

　　　　　（010）63017857（发行部）

印　　刷：三河市嘉科万达彩色印刷有限公司

开　　本：787mm × 1092mm　1/32

版　　次：2023 年 10 月第 1 版第 1 次印刷

字　　数：112 千

印　　张：6（全 300）

书　　号：ISBN 978-7-5149-2963-8

定　　价：1490.00 元（全 50 册）

# 前言

《贞观政要》是唐代史学家吴兢撰写的一部政论性的史书，其内容以记言为主，将贞观年间唐太宗李世民与大臣魏徵、王珪、房玄龄、杜如晦等人关于施政的各种问题的对话做了记录，此外一些大臣的谏议和劝谏奏疏也出现在其中，后人亦能从该史书中看到当时一些关于政治、经济的重大措施。

吴兢，唐代汴州浚仪（今河南开封）人，年轻时就立志从事史学工作，为此他“励志勤学，博通经史”。武则天时，经友人推荐，吴兢开始担任史官。作为史官，他不仅能够秉笔直书，还常常不顾个人安危直言进谏。因为唐中宗无力驾驭朝政，武则天去世后，武三思、韦后、安乐公主等各派势力都在拉帮结派，朝臣人人自危。安乐公主想废太子自立，而太子因发动兵变失败被杀，安乐公主随后把矛头指向相王李旦。吴兢在这样严峻的形势下，写了《上中宗皇帝疏》，劝诫中宗要明辨是非，珍惜兄弟情谊，最终保住了相王李旦。这件事让人们深刻地感受到了吴兢忠于历史的崇高品格，而他所编著的《贞观政要》亦是集中体现了臣子敢于正义直言辅佐君王的精神。

据资料记载，《贞观政要》写于开元、天宝之际。

当时的唐朝社会虽呈现出一片兴旺的景象，但社会危机已露端倪，颇为敏感的吴兢俨然感受到了时代发展衰颓的趋势。作为大唐的一名臣子，为了保证唐王朝的长治久安，加上职务工作的积累，吴兢深感有必要总结一下唐太宗时期君臣相得、励精图治的成功经验，为当时的帝王树立起施政楷模并提供施政指导，这便是吴兢撰写《贞观政要》的初衷。因为吴兢的良苦用心和政治指导，《贞观政要》一直为历代统治者所推崇和珍视，并作为他们施政的鉴戒。

《贞观政要》虽然属于记载史实的著作，但吴兢并未按照时间的顺序来组织该书，他一反过去纪传体或编年体的烦琐写法，对传统的记言体裁加以改造创新，形成了独具一格的《贞观政要》。书中的主人公是唐太宗李世民和几位忠臣良将，从总结唐太宗治国施政的经验与思想，以告诫后人的意图出发，吴兢将君臣问答、奏疏、方略等材料，按照为君之道、任贤纳谏、君臣鉴戒、教戒太子、道德伦理、正身修德、崇尚儒术、固本宽刑、征伐安边、善始慎终等专题形式进行了分门别类的排列。这样一来，该书的核心思想也就变得十分清晰和有条理，同时，这种安排方式也方便读者阅读。

虽然吴兢对施政理念做了极为详细的分类，但是我们不难发现，《贞观政要》集中体现了以下几方面治国理政的思想：

## 一、以人为本的治国理念

“舟所以比人君，水所以经黎庶，水能载舟亦能覆舟。”这个比喻经常出现在《贞观政要》一书中，而书中主人公之所以经常说这句话，是因为唐太宗君臣从乱世中夺得政权，并目睹了民众的巨大历史推动力，因此唐太宗始终坚持广施济众的民本思想。其实，这种思想是对自先秦以来民本思想的继承与发展。虽然民本思想的产生和发展已有很长的历史，但是这种治国理念始终奏效，我们可以看到，当今的执政者更是积极挖掘古代文化中的优秀治国理念，坚持施行仁政、以人为本的核心思想，致力于新时期国家和民族的建设事业。

## 二、求谏纳听的思想

封建王朝的最大特点就是权力高度集中于管理者，这种管理制度很容易产生一言堂的结果。在这样的环境中，如果不能广开言路，真心听取各方面的意见，臣子不会主动大胆地提出规劝君主的意见，如此一来便形成了恶性循环，上情下情得不到顺畅传达。

《贞观政要》到处体现着唐太宗广开言路的实践，最明显的就是臣子们屡屡直言进谏的事例，还有唐太宗引经据典警示自己的言论，做到大度开明，这也是唐太宗开辟大唐盛世的重要原因。

在杜绝独断专行和偏听偏信方面，现代社会的执政者做出了更多的实践，因为交流工具的便利化和多样化，在法律支持的基础上，在上情下达、下情上传方面，有政府、大众媒体和普通民众等几大主体，信息的及时有效传播得到了最大限度的实现，管理者与民众的信息互动也更加明显。

### 三、居安思危的远虑思想

“居安思危”也是唐太宗君臣交谈的一个核心话题。这种德治心理是唐太宗推行民本观、为君之道的心理基础。因为目睹了甲兵强盛的大隋王朝短命而亡，为了保住来之不易的唐王朝，唐太宗君臣始终持有一种居安思危的远虑思想。

由此不难看出，《贞观政要》不仅是施政措施的指导，更是价值理念的体现。表面上，它解读了贞观盛世出现的缘由，反映了唐太宗“贞观之治”在中国历史上的重要地位，实际上，该书中所反映的思想为朝代演变历史发展做了深刻的揭示，尤其给了国家管理者以深刻的启示，其中以民生为本、以德治国等治国理念，诚心纳谏、仁心仁政等领导方式，任人唯贤、德才兼备等人才选拔制度，天下为家、戒奢戒贪、善始善终等修养艺术，至今都值得各级领导者和管理者借鉴学习。

对于一般人来说，阅读《贞观政要》一书，可以在为人处世、规范自身等方面找到比较强大的力量支持。此外，书中在外交方面的记录也能够帮助我们增强民族责任感和忧患意识，加强国家团结意识，有利于净化社会风气、纯洁人的心灵。

本书虽然对《贞观政要》的部分内容做了节选译注，但所选内容保证了原书的精华之初，并对其中的生僻字做了备注解释，方便读者阅读。在原文翻译上，本书坚持本义一致的原则，用更方便人们理解的语言做了注解，争取达到寓教于乐的效果。

# 目录

# 君道第一

## 一

贞观初，太宗谓侍臣曰："为君之道，必须先存百姓。若损百姓以奉其身，犹割股[1]以啖[2]腹，腹饱而身毙。若安天下，必须先正其身，未有身正而影曲，上治而下乱者。朕每思伤其身者不在外物，皆由嗜欲以成其祸。若耽嗜滋味，玩悦声色，所欲既多，所损亦大，既妨政事，又扰生民。且复出一非理之言，万姓为之解体，怨讟[3]既作，离叛亦兴。朕每思此，不敢纵逸。"

谏议大夫魏徵对曰："古者圣哲之主，皆亦近取诸身，故能远体诸物。昔楚聘詹何[4]，问其治国之要，詹何对以修身之术。楚王又问治国何如，詹何曰：'未闻身治而国乱者。'陛下所明，实同古义。"

【注释】

①股：大腿。

②啖（dàn）：吃或给人吃。

③怨讟（dú）：亦作"怨黩"，因怨恨而出的诽谤言论。

④詹何：战国时楚国隐者、哲学家、术士。继承了杨朱的"为我"思想，认为"重生"必然"轻利"，反对纵欲自恣的行为。

【译文】

贞观初年，唐太宗对身边的大臣们说："做君主的法则，必须以百姓的存活为先。如果损害百姓的利益来奉养自身，那就好比是割自己大腿上的肉来填饱肚子，肚子虽然填饱了，但人也死了。如果想要安定天下，必须首先端正自身，世上绝对没有身子端正而影子弯曲的情况，也不会出现上面治理好了而下面发生动乱的事。我常想，能损伤自身的并不是身外的东西，都是因为自身有贪欲才酿成灾祸。如果一味贪恋美味，沉溺于音乐女色，欲望越多，损害也就越大，既妨碍政事，又扰害百姓。如果再说出一些不合事理的话来，就会使人心涣散，怨声载道，最终众叛亲离。每当我想到这些，就不敢放纵自己贪图安逸。”

谏议大夫魏徵回答说：“古代圣明的君主，也都是先就近从自身入手，才能远而推及其他一切事物。过去楚庄王聘用詹何，问他治理国家的要领，詹何却用加强自身的品德修养来回答。楚庄王再问他治理国家用什么方法，詹何说：‘没有听到过自身治理得很好而国家发生动乱的事。’陛下所明白的道理，实在符合古代圣贤的意思。”

## 二

贞观二年，太宗问魏徵曰：“何谓为明君暗君？”

徵曰：“君之所以明者，兼听也；其所以暗者，偏信也。《诗》云：‘先人有言，询于刍荛[1]。’昔唐、虞之理，辟四门，明四目，达四聪[2]。是以圣无不照，故共、鲧之徒，不能塞也；靖言庸回[3]，不能惑也。秦二世则隐藏其身，捐隔疏贱而偏信赵高，及天下溃叛，不得闻也。梁武帝偏信朱异，而侯景举兵向阙，竟不得知也。隋炀帝偏信虞世基，而诸贼攻城剽邑，亦不得知也。是故人君兼听纳下，则贵臣不得壅蔽，而下情必得上通也。”

太宗甚善其言。

## 【注释】

①刍荛（ráo）：指割草打柴的人，泛指草野鄙陋之人或普通百姓的浅陋言辞。

②辟四门，明四目，达四聪：意为大开四方之门，广四方之视听，防止耳目闭塞，以便招贤纳俊。

③靖言庸回：当面说得好听，背后却捣鬼。

## 【译文】

贞观二年（628），唐太宗问魏徵："什么叫作圣明的君主？什么叫作昏暗的君主？"

魏徵回答道："君主之所以圣明，是因为能够兼听各方面的不同意见；君主之所以昏暗，是因为偏听偏信。《诗经》说：'古人说过这样的话，君主要向割草砍柴的人征求意见。'过去唐尧、虞舜治理天下时，广开四方门路，招纳贤才；广开视听，了解、听取各方面的意见。因此圣明的君主能够无所不知，所以像共工、鲧这样的坏人就不能蒙蔽他，花言巧语的奸佞小人也不能迷惑他。秦二世却不是这样，他深居宫中，隔绝贤臣，疏远百姓，偏信赵高，到天下大乱、百姓叛离时，他还不知道。梁武帝偏信朱异，到侯景兴兵作乱围攻都城时，他竟浑然不知。隋炀帝偏信虞世基，到各路反隋兵马攻掠城邑时，他也不知道。由此可见，君主如果能广泛听取和采纳臣下的忠诚建议，那么权臣就不能蒙上蔽下，百姓的情况也就能顺利传递给君主了。"

唐太宗很赞赏魏徵讲的这番话。

## 三

贞观十年，太宗谓侍臣曰：“帝王之业，草创与守成孰难？”

尚书左仆射房玄龄对曰：“天地草昧[①]，群雄竞起，攻破乃降，战胜乃克。由此言之，草创为难。”

魏徵对曰：“帝王之起，必承衰乱，覆彼昏狡[②]，百姓乐推，四海归命，天授人与，乃不为难。然既得之后，志趣骄逸，百姓欲静而徭役不休，百姓凋残而侈务不息，国之衰弊，恒由此起。以斯而言，守成则难。”

太宗曰：“玄龄昔从我定天下，备尝艰苦，出万死而遇一生，所以见草创之难也。魏徵与我安天下，虑生骄逸之端，必践危亡之地，所以见守成之难也。今草创之难，既已往矣，守成之难者，当思与公等慎之。”

### 【注释】

①草昧：草，杂乱。昧，蒙昧，混沌原始未开化的状态。常用来指国家草创秩序未定的时候。

②昏狡：狡，伤害。昏庸害民。

### 【译文】

贞观十年（636），唐太宗问身边的大臣们说：“在帝王的事业中，创业与守业哪件事比较艰难？”

尚书左仆射房玄龄回答道：“国家开始创业的时候，各地豪杰竞相跃起，必须攻破城池才能使敌人投降，在战斗中获胜才能使敌人归顺。这样看来，还是创业艰难。”

魏徵回答道：“帝王的兴起，一定是趁着前朝衰乱的时候。这个时候推翻昏庸无道的旧主，百姓乐于拥戴，四海之内也都会先后归顺，这正是天授人与，如此看来，创业并不艰难。可是一旦取得天下后，若志趣变得骄傲放纵，百姓需要休养生息而徭役没有休止，百姓穷困凋敝而国君却不停地奢侈享乐，国家的衰败，常常就是这样引起的。这样看来，守业更难。”

唐太宗说：“玄龄当初跟随我平定天下，历尽艰难困苦，多次死里逃生，所以知道创业的艰难。魏徵辅助我安定天下，担心出现骄奢淫逸的苗头，而陷入危亡的泥潭，所以知道守业的艰难。如今创业的艰难已经过去，守业这一难事，得和诸公一起谨慎处理才是。”

# 政体第二

## 一

贞观初，太宗谓萧瑀[1]曰："朕少好弓矢，自谓能尽其妙。近得良弓十数，以示弓工。乃曰：'皆非良材也。'朕问其故，工曰：'木心不正，则脉理皆邪，弓虽刚劲而遣箭不直，非良弓也。'朕始悟焉。朕以弧矢定四方，用弓多矣，而犹不得其理。况朕有天下之日浅，得为理之意，固未及于弓，弓犹失之，而况于理乎？"

【注释】

①萧瑀（yǔ）：萧皇后的弟弟。

【译文】

贞观初年，唐太宗对大臣萧瑀说："我从年轻的时候就喜欢张弓射箭，自以为完全了解了弓箭的奥妙。最近得到十几把上好的弓，于是就把它们拿给做弓的师傅看。弓箭师傅却说：'都不是好材质的弓。'我询问其中的原因，弓箭师傅说：'制弓的木料中心不正，那么它的脉理就是歪斜的，这种材料制成的弓虽然刚劲有力，但射出去的箭不会直，所以不是上好的弓。'从这件事中，我领悟出很多道理。我用武力平定四方，用过的弓箭非常多，尚且不懂识别弓箭的要领，更何况我得到天下的时间非常短，对于治理国家的道理，肯定不比我对弓箭知识掌握得多，我对弓箭的了解尚有失偏颇，更何况是治理国家的道理呢？"

## 二

贞观元年，太宗谓黄门侍郎王珪曰：“中书所出诏敕，颇有意见不同，或兼错失而相正以否。元置中书、门下[1]，本拟相防过误。人之意见，每或不同，有所是非，本为公事。或有护己之短，忌闻其失，有是有非，衔[2]以为怨。或有苟避私隙，相惜颜面，知非政事，遂即施行。难违一官之小情，顿为万人之大弊，此实亡国之政，卿辈特须在意防也。隋日内外庶官，政以依违而致祸乱，人多不能深思此理。当时皆谓祸不及身，面从背言，不以为患。后至大乱一起，家国俱丧，虽有脱身之人，纵不遭刑戮，皆辛苦仅免，甚为时论所贬黜。卿等特须灭私徇公，坚守直道，庶事相启沃，勿上下雷同也。”

【注释】

①门下：本为门庭之下的意思。后成为共议国是的机构。

②衔：含着。这里指含恨在心。

【译文】

贞观元年（627），唐太宗对黄门侍郎王珪说：“中书省所草拟颁发的文告命令，门下省对此有很多不同的看法，有时两省各有一些错误失当之处，但又可以相互纠正。当初设置中书省和门下省的目的，就是为了相互防止发生过错失误。人的意见常有不同，有正确的也有错误的，归根结底都是为了办好公事。但有的人为了掩盖自己的短处，不愿听到别人指出自己的过失，听到他人议论是非，便在心中暗生怨恨。有的人为了避免和别人产生私人恩怨，互相顾惜脸面，明明知道有妨碍政事的地方，仍马上施行。这种只为不违背一个官员的私情，却可以在顷刻间成为危害千万百姓的大弊端，实在是亡国的弊政，你们需要特别注意防范。隋朝时，朝廷内外的大小百官都人云亦云，办理政事时大家都没有主见，从而酿成祸乱，人们往往不能深入思考其中的道理。当时那些人都以为灾祸不会落到自己身上，当面说好话，背后搬弄是非，不觉得这样做会造成危害。到后来天下大乱，国破家亡，虽说有人幸免于难，没有遭到刑戮，但也是吃尽苦头仅免一死，而且还要遭受世人的谴责。你们身为大臣特别应该灭除私情，秉公办事，坚守正道，凡事互相讨论帮助，互相启发，千万不要人云亦云。”

## 三

贞观六年，太宗谓侍臣曰：“看古之帝王，有兴有衰，犹朝之有暮，皆为敝其耳目，不知时政得失。忠正者不言，邪谄[1]者日进，既不见过，所以至于灭亡。朕既在九重，不能尽见天下事，故布之卿等，以为朕之耳目。莫以天下无事，四海安宁，便不存意。‘可爱非君，可畏非民[2]？’天子者，有道则人推而为主，无道则人弃而不用，诚可畏也。”

魏徵对曰：“自古失国之主，皆为居安忘危，处治忘乱，所以不能长久。今陛下富有四海，内外清晏[3]，能留心治道，常临深履薄[4]，国家历数[5]，自然灵长。臣又闻古语云：‘君，舟也；人，水也。水能载舟，亦能覆舟。’陛下以为可畏，诚如圣旨。”

## 【注释】

①邪谄：邪恶谄佞的小人。

②可爱非君，可畏非民：语出《尚书·大禹谟》。意为百姓所爱戴的不是君王吗？君王所畏惧的不是百姓吗？

③清晏：晏，平静，安逸。清平安定。

④履薄：行走在薄冰上。形容身处险境，必须保持谨慎态度。

⑤历数：指国家的气运。

## 【译文】

贞观六年（632），唐太宗对身边的大臣们说："纵观古代的帝王，总是有兴盛有衰亡，就好像有早晨就必有夜晚一样，这都是由于他们的耳目受到了蒙蔽，不了解当时的政治得失，导致忠诚正直的人不敢直言劝谏，邪恶谄谀的人却一天天得势，君主看不到自己的过失，最终导致国家灭亡。我既然身居九重深宫，就不可能看到天下发生的所有事情，所以我安排你们作为我的耳目了解真实情况。千万不要认为天下无事、四海安宁就不在意了。《尚书》中说：'百姓所爱戴的不是君王吗？君王最畏惧的不是百姓吗？'作为君王，如果圣明有道，人们就会推戴他做君主；如果昏庸无道，人们就会将他抛弃而不用。这实在是令人感到恐惧啊！"

魏徵回答说："自古以来的亡国之君，都是因为在安定的环境中而忘记了危亡，在清平盛世的时候忘记了动乱，所以不能长治久安。如今陛下拥有天下，内外清平安定，能够留心治国安邦的方法，经常保持如临深渊、如履薄冰的谨慎姿态，国运自然会长久。我又听古人说过：'君主好比是船，百姓是水，水能浮载船走，也能将船掀翻。’陛下认为百姓的力量可畏，确实讲得很对。”

## 四

贞观九年，太宗谓侍臣曰：“往昔初平京师，宫中美女珍玩，无院不满。炀帝意犹不足，征求无已，兼东西征讨，穷兵黩武①，百姓不堪，遂致亡灭。此皆朕所目见，故夙夜孜孜②，惟欲清净，使天下无事。遂得徭役不兴，年谷丰稔③，百姓安乐。夫治国犹如栽树，本根不摇则枝叶茂荣。君能清净，百姓何得不安乐乎？”

### 【注释】

①黩武：指好战，滥用武力。

②夙夜孜孜：夙，早晨。孜孜，努力不怠。这里指夜以继日，努力不怠。

③丰稔：形容庄稼成熟，意指收成好。

### 【译文】

贞观九年（635），唐太宗对身边的大臣们说：“当年隋朝刚刚平定京师时，宫中的美女、奇珍玩物，没有一个宫院不是满满的。可隋炀帝还是不满足，横征暴敛搜求不止，加上东征西讨，穷兵黩武，弄得百姓无法忍受，于是导致了隋朝灭亡。这些都是我亲眼见到的。因此我每天从早到晚努力不怠，只求清静无为，使天下不生事端，从而做到不兴徭役，五谷丰收，百姓安居乐业。治国就好比种树，只要树根稳固不动摇，就能枝繁叶茂。君主能够做到清净寡欲，百姓怎么会不安居乐业呢？”

# 任贤第三

## 一

魏徵，巨鹿人也，近徙家相州之内黄。武德末，为太子洗马[①]。见太宗与隐太子阴相倾夺，每劝建成早为之谋。

太宗既[②]诛隐太子，召徵责之曰："汝离间我兄弟，何也？"众皆为之危惧。徵慷慨自若，从容对曰："皇太子若从臣言，必无今日之祸。"太宗为之敛容，厚加礼异，擢拜谏议大夫。数引之卧内，访以政术。徵雅有经国之才，性又抗直，无所屈挠。太宗每与之言，未尝不悦。徵亦喜逢知己之主，竭其力用。又劳之曰："卿所谏前后二百余事，皆称朕意，非卿忠诚奉国，何能若是？"

【注释】

①洗（xiǎn）马：官名。

②既：表顺承关系，无实意。

【译文】

魏徵，河北巨鹿人，前不久又迁居到相州的内黄。武德末年，担任太子洗马一职。当他看到太宗与隐太子李建成暗中倾轧争夺帝位的时候，常劝李建成早做打算。

唐太宗杀了隐太子后，把魏徵叫来责问他："你为什么要离间我们兄弟？”当时大家都替魏徵的安危担心，魏徵却慷慨自若，不慌不忙地答道：“皇太子如果听了我的话，肯定不会有今天的杀身之祸。”唐太宗听后肃然起敬，对他分外敬重，并提升他为谏议大夫，还多次把他请进卧室，向其请教治理国家的办法。魏徵素有治国的才能，性情又刚直不阿、不屈不挠。太宗每次和他交谈，从来没有不高兴的时候。魏徵也欣幸遇到了赏识自己的君主，便竭尽全力为太宗效劳。唐太宗又抚慰他说：“你所直言劝谏前后共有二百多件事，都称我的心意，如果不是你忠心为国，怎么能这样呢？”

## 二

六年，太宗幸九成宫，宴近臣，长孙无忌[①]曰：“王珪、魏徵，往事息隐，臣见之若仇，不谓今者又同此宴。”太宗曰：“魏徵往者实我所仇，但其尽心所事，有足嘉者。朕能擢而用之，何惭古烈？徵每犯颜切谏，不许我为非，我所以重之也。”徵再拜曰：“陛下导臣使言，臣所以敢言。若陛下不受臣言，臣亦何敢犯龙鳞[②]、触忌讳也。”太宗大悦，各赐钱十五万。

### 【注释】

①长孙无忌：唐初大臣，位凌烟阁二十四功臣之首。

②龙鳞：韩非子曾把帝王比作龙，龙喉下有逆鳞，触摸逆鳞便会被龙咬死，这里是指触犯君王有生命危险。

### 【译文】

贞观六年，唐太宗驾临九成宫，设宴招待亲近的大臣，长孙无忌说："王珪、魏徵，他们过去侍奉隐太子，我见到他们就像见到仇敌一样，想不到今天同在一起参加宴会。"太宗说："魏徵过去确实是我的仇敌，但他能尽心尽力地侍奉主人，这是很值得称道的。我能够不计前嫌提拔重用他，和古代圣贤相比也毫无愧色吧？魏徵常常不顾情面恳切劝谏，不许我做错事，我因此而器重他。"魏徵拜了两拜说："陛下引导我提意见，我才敢直言不讳。如果陛下不接受我的意见，我又怎么敢去触犯龙鳞、忌讳呢？"太宗听后心情大悦，赏赐每人十五万钱。

## 三

十七年，遂授太子太师，知门下事如故。徵自陈有疾。太宗谓曰："太子宗社之本，须有师傅，故选中正，以为辅弼。知公疹病，可卧护之。"徵乃就职。寻遇疾。徵宅内先无正堂，太宗时欲营小殿，乃辍其材为造，五日而就。遣中使赐以布被素褥，遂其所尚。后数日，薨。太宗亲临恸哭，赠司空，谥曰文贞。太宗亲为制碑文，复自书于石。特赐其家食实封九百户。

太宗后尝谓侍臣曰："夫以铜为镜，可以正衣冠；以古为镜，可以知兴替；以人为镜，可以明得失。朕常保此三镜，以防己过。今魏徵殂逝[①]，遂亡一镜矣！"因泣下久之。乃诏曰："昔惟魏徵，每显予过。自其逝也，虽过莫彰[②]。朕岂独有非于往时，而皆是于兹日？故亦庶僚苟顺，难触龙鳞者欤！所以虚己外求，披迷内省。言而不用，朕所甘心。用而不言，谁之责也？自斯已后，各悉乃诚。若有是非，直言无隐。"

【注释】

①殂（cú）逝：逝世。

②彰：明显，显著。

【译文】

贞观十七年（643），唐太宗任命魏徵做太子太师，仍旧管理门下省的政事。魏徵陈述自己有病在身，恐难胜任。太宗对他说：“太子是宗庙社稷的根本，一定要有好的师傅教导，所以挑选你这样中正无私的人来辅佐他。我知道你身体抱恙，你不妨躺在床上来教导太子。”魏徵便接受了这一职务。不久，魏徵得了重病。他家里的庭院原先没有正厅，太宗当时本想给自己建造一座小殿，因此停下工来，把材料给魏徵造正厅，五天就完工了。唐太宗又派宫中的使者赐给魏徵布被和素色的垫褥，以顺从他的喜好。过了几天，魏徵因病去世，太宗亲自到他的灵柩前痛哭，追赠他为司空，赐谥号“文贞”。太宗亲自给他撰写碑文，并亲笔书写在石碑上，还特赐给他的家属食实封九百户。

太宗后来常对身边的大臣们说：“用铜来做镜子，可以端正衣冠；用历史来做镜子，可以知道朝代的兴衰更替；用人来做镜子，可以明白自己的得失。我常常注意保持这三面镜子，用来防止自己犯错。如今魏徵去世了，我就失掉了一面镜子啊！”因而哭了很久。于是，太宗下诏说：“过去只有魏徵经常指责我的过错，自从他去世后，我虽有过错，却没有人敢公开指出。难道我只在过去有错误，而今天做事全是正确的吗？显然还是臣子们对我苟且顺从，不敢来触犯龙鳞吧！所以我再次虚心征求他人的意见，以便排除假象，反省自身。如果你们直言劝谏了而我不采用，我愿承担责任。如果我准备采纳忠言而大家却不进言，这个责任谁来承担呢？从今以后，大家都要竭尽忠诚，如果我有不对的言行，你们要直言劝谏，不要有所隐瞒。”

# 求谏第四

## 一

太宗威容俨肃，百僚[1]进见者，皆失其举措。太宗知其若此，每见人奏事，必假颜色，冀[2]闻谏诤，知政教得失。贞观初，尝谓公卿曰："人欲自照，必须明镜；主欲知过，必藉忠臣。主若自贤，臣不匡正，欲不危败，岂可得乎？故君失其国，臣亦不能独全其家。至于隋炀帝暴虐，臣下钳口[3]，卒令不闻其过，遂至灭亡，虞世基等寻亦诛死。前事不远，公等每看事有不利于人，必须极言规谏。"

【注释】

①百僚：指百官。

②冀：希望。

③钳口：以威胁恐吓等方式限制他人的言论。

【译文】

唐太宗平时仪表庄重，面容严肃，前来觐见的百官，常常会紧张得举止失常、不知所措。太宗知道这种情况后，每当有人奏事时，总是做出和颜悦色的样子，希望能够听到谏诤，从而了解朝政的得失。贞观初年，太宗曾对公卿大臣们说："人要想看清自己的容貌，一定要依靠明镜；一国之主要想知道自己的过失，一定要借助于忠臣。

假如君主自以为圣明，臣下又不去纠正，要想国家没有倾危败亡的危险，怎么可能办得到呢？所以君主失掉了他的国家，臣子也不能独自保全自己的家。至于像隋炀帝那样残暴淫虐，臣下都把嘴闭起来不敢讲话，最后终于因为隋炀帝听不到自己的过失而导致灭亡，虞世基等人不久也被诛杀。前事不远，你们今后每当看到事情不利于百姓的时候，必须要直言规劝谏诤。”

## 二

贞观元年，太宗谓侍臣曰：“正主任邪臣，不能致理；正臣事邪主，亦不能致理。惟君臣相遇，有同鱼水，则海内可安。朕虽不明，幸诸公数相匡救，冀凭直言鲠议①，致天下太平。”谏议大夫王珪对曰：“臣闻木从绳则正，后从谏则圣。是故古者圣主必有争臣②七人，言而不用，则相继以死。陛下开圣虑，纳刍荛，愚臣处不讳之朝，实愿罄③其狂瞽④。”太宗称善。

### 【注释】

①鲠（gěng）议：刚直的议论。

②争臣：争，通“诤”规谏。指直言谏诤的大臣。

③罄：用尽。

④狂瞽（gǔ）：愚妄无知。

### 【译文】

贞观元年，唐太宗对身边的大臣们说：“正直的君主任用了奸臣，就不可能治理好国家；忠直的臣子侍奉昏庸的君主，也不可能治理好国家。只有正直的君主和忠直的大臣相处共事，如鱼得水，那么天下才可以平安无事。我虽然算不上贤明，但幸亏有你们多次匡正补救过失，希望凭借你们的直言鲠议，实现天下太平。”谏议大夫王珪回答说：“我听说木材依从墨线就能锯得笔直，君主听从规谏就能变得圣明。所以古代圣明的君主都设诤臣七人，谏言如不被接受，就一个接一个以死相谏。如今陛下广开言路，采纳臣民忠言，我处在这个不避忌讳的圣朝，实在愿意把愚昧之见都讲出来。”太宗称赞他说得好。

## 三

贞观十五年（641），太宗问魏徵曰：“比来朝臣都不论事，何也？”

徵对曰：“陛下虚心采纳，诚宜有言者。然古人云：‘未信而谏，则以为谤[1]己；信而不谏，则谓之尸禄[2]。’但人之才器，各有不同。懦弱之人，怀忠直而不能言；疏远之人，恐不信而不得言；怀禄[3]之人，虑不便身而不敢言。所以相与缄默，俯仰过日[4]。”

【注释】

①谤：毁谤。

②尸禄：意为白食朝廷俸禄却不尽职，无所事事。

③怀禄：贪恋爵禄。

④俯仰过日：俯仰，本指低头和抬头，引申为随意应付。即马马虎虎混日子。

【译文】

贞观十五年（641），唐太宗问魏徵说：“近来朝臣都不议论政事，这是为什么呢？”

魏徵回答道：“陛下一向虚心纳谏，本来应当会有进谏的人。然而古人说过：‘不被信任的人进谏，会被认为是毁谤自己；已被信任而不劝谏，就叫作白食俸禄却不尽职。’但是人的才能气度，各有不同。胆小怕事的人，心存忠直而不能进谏；被疏远的人，怕不被信任而无法进谏；贪恋禄位的人，怕不利于自身而不敢进谏。所以大家都沉默不言，应付着混日子。”

## 四

贞观十七年，太宗问谏议大夫褚遂良曰：“昔舜造漆器，禹雕其俎[①]，当时谏者十有余人。食器之间，何须苦谏？”

遂良对曰：“雕琢害农事，纂组[②]伤女工。首创奢淫，危亡之渐。漆器不已，必金为之。金器不已，必玉为之。所以诤臣必谏其渐，及其满盈，无所复谏。”

太宗曰：“卿言是矣。朕所为事，若有不当，或在其渐，或已将终，皆宜进谏。比见前史，或有人臣谏事，遂答云‘业已为之’，或道‘业已许之’，竟不为停改。此则危亡之祸，可反手而待[③]也。”

【注释】

①俎（zǔ）：古代切割肉时所用的砧板，此处指古代祭祀放祭品的器物。

②纂（zuǎn）组：刺绣、编织。

③反手而待：很快就会到来。

【译文】

贞观十七年，唐太宗问谏议大夫褚遂良说：“从前虞舜制作漆器，大禹雕饰祭器，当时劝谏的有十多人。制造饮食器皿这类的小事，何必苦苦劝谏呢？”

褚遂良回答说：“从事精雕细琢会妨害农业生产，编织五颜六色的彩绣会加重妇女的负担。首创奢侈淫逸，就是危亡的开端。有了漆器还不满足，必然要制造金器。有了金器还不满足，必然要制造玉器。所以谏诤之臣必须在事情刚有征兆的时候及时进谏，等到发展到严重的时候，再劝谏已经不起作用了。”

太宗说：“你讲得很对。我所做的事情，如果有不妥当的地方，不论是在刚开始的时候，或者是将要做完，都应当及时进谏。近来我翻阅前朝史书的记载，发现有时臣下进谏，君主就回答说‘已经做了’，或者说‘已经同意做了’，终究不肯停止改正。这样下去，危亡的灾祸在一反手之间就会到来。”

# 纳谏第五

## 一

贞观二年，隋通事舍人[①]郑仁基女，年十六七，容色绝姝，当时莫及。文德皇后访求得之，请备嫔御。太宗乃聘为充华[②]。诏书已出，策使未发。

魏徵闻其已许嫁陆氏，方遽进而言曰："陛下为人父母，抚爱百姓，当忧其所忧，乐其所乐。自古有道之主，以百姓之心为心，故君处台榭，则欲民有栋宇[③]之安；食膏粱，则欲民无饥寒之患；顾嫔御，则欲民有室家之欢。此人主之常道也。今郑氏之女，久已许人，陛下取之不疑，无所顾问，播之四海，岂为民父母之道乎？臣传闻虽或未的，然恐亏损圣德，情不敢隐。君举必书，所愿特留神虑。"

【注释】

①通事舍人：官名。

②充华：嫔妃称号。

③栋宇：泛指房舍屋宇。

【译文】

贞观二年，隋朝通事舍人郑仁基的女儿年方十六七岁，是个容貌绝佳的美人，当时没有谁能比得上她。文德皇后寻访到后，请求唐太宗留她在后宫作为嫔妃，于是太宗就聘她为充华。诏书已经发出，但册封的使者尚未动身。

魏徵听说郑仁基的女儿已许配给陆家，便急忙进谏说："陛下身为万民父母，抚爱百姓，就应当忧百姓所忧的事，乐百姓所乐的事。自古以来有道的君主，都是以百姓的心愿为自己的心愿。所以君主身居亭台楼阁，就想让百姓也有房屋安身；君主吃美味佳肴，就想让百姓不受饥饿；君主看到嫔妃，就想让百姓有婚配成家的欢乐。这才是做君主的正常道理。如今郑家的女儿早就许配了人家，陛下毫不考虑就要聘娶她进宫，也不打听询问，这件事传到全国，哪里是为民父母的君主的作为呢？我听来的传闻虽然不一定确实，但唯恐圣上的美德有所损害，所以不敢隐瞒自己的看法。君主的一举一动都有史官记录，希望陛下要特别留心多加考虑。"

## 二

简点使[①]、右仆射封德彝等，并欲中男十八已上，简点入军。敕三四出，徵执奏以为不可。

德彝重奏："今见简点者云，次男内大有壮者。"

太宗怒，乃出敕[②]："中男已上，虽未十八，身形壮大，亦取。"徵又不从，不肯署敕。

太宗召徵及王珪，作色而待之，曰："中男若实小，自不点入军。若实大，亦可简取。于君何嫌？过作如此固执，朕不解公意！"

徵正色曰："臣闻竭泽取鱼，非不得鱼，明年无鱼；焚林而畋，非不获兽，明年无兽。若次男已上尽点入军，租赋杂徭，将何取给？且比年国家卫士，不堪攻战，岂为其少，但为礼遇失所，遂使人无斗心。若多点取人，还充杂使，其数虽众，终是无用。若精简壮健，遇之以礼，人百其勇，何必在多？陛下每云，我之为君，以诚信待物，欲使官人百姓，并无矫伪之心。自登极已来，大事三数件，皆是不信，复何以取信于人？”

【注释】

①简点使：简点，选定。唐代临时负责选拔士卒的官名。

②出敕：敕，皇帝的诏书。即为出示皇帝的诏书。

【译文】

简点使、右仆射封德彝等人，都主张把十八岁以上的未成壮丁的中男征召入伍。唐太宗为此还下了三四次敕文，魏徵都上奏认为此事不可以实行。

封德彝重新上奏说：“今天看到从事检点军士的士官说，在次男中也有很多身强体壮的人。”

太宗大怒，于是下令称：“中男以上，即使未满十八岁，只要身体强壮，也可征召入伍。”魏徵又表示不同意，不肯签署敕令。

太宗把魏徵、王珪召入宫中，对他们板起面孔说：“中男当中如果身体真是柔弱瘦小的，自然不能检点入军。如果身强体壮，也是可以选拔入伍的。这对你们有什么妨碍？你们为什么这样固执，我真是不了解你们的用意。”

魏徵面色严肃地说：“臣听说，排尽池塘中的水来捕鱼，不是捕不到鱼，而是明年就没有鱼可捕了；焚烧森林来打猎，不是抓不到猎物，而是明年就没有猎物可打了。如果次男以上的壮丁都检点入军，那么租赋杂役将靠谁来提供？而且近年来的士卒不能胜任攻城作战的要求，哪里是因为人数较少，而是因为没有得到相应的礼遇，这使他们失去了斗志。如果再过多地征召士卒，让他们去充当杂役，士兵的人数虽然增多了，但终究没什么用。如果精心选拔身体健壮的成年男子，并且给他们应有的礼遇，那么人人都会士气百倍，所以又何必要那么多士兵呢？陛下常说：我做国君，以诚信待人，要使官吏、百姓都没有矫饰虚伪之心。但是自从陛下即位以来，有几件大事都是不守信用的，这又怎么能取信于人呢？”

## 三

贞观七年，蜀王妃父杨誉在省竞婢，都官郎中薛仁方留身勘问，未及予夺。其子为千牛，于殿庭陈诉，云：“五品以上非反逆不合留身，以是国亲，故生节目①，不肯决断，淹历岁月。”

太宗闻之，怒曰：“知是我亲戚，故作如此艰难。”即令杖仁方一百，解所任官。

魏徵进曰：“城狐社鼠皆微物，为其有所凭恃，故除之犹不易。况世家贵戚，旧号难理，汉、晋以来，不能禁御；武德之中，以多骄纵；陛下登极，方始萧然。仁方既是职司，能为国家守法，岂可枉加刑罚，以成外戚之私乎！此源一开，万端争起，后必悔之，将无所及。自古能禁断此事，惟陛下一人。备豫不虞②，为国常道。岂可以水未横流，便欲自毁堤防？臣窃思度，未见其可。”

太宗曰：“诚如公言，向者③不思。然仁方辄禁不言，颇是专权，虽不合重罪，宜少加惩肃。”乃令杖二十而赦之。

【注释】

①节目：本指树木枝干相接的地方或者纹理不顺的地方，此处比喻枝节。

②备豫不虞：预防意外。

③向者：以往，从前。

## 【译文】

贞观七年（633），蜀王李愔妃子的父亲杨誉在皇宫禁地追逐宫女，都官郎中薛仁方将他拘留进行审问，还没来得及处理。杨誉的儿子是千牛卫武官，在殿廷上诉说："五品以上的官员，不是犯反叛罪的不应拘留，因为我的父亲是皇亲国戚，薛仁方就有意节外生枝，拖延时间，不肯决断。"

太宗听了很是生气，说道："明知杨誉是我的亲戚，还故意这样刁难！"当即下令责打薛仁方一百棍杖，并免去他所担任的官职。

魏徵进谏说："虽然城墙下的狐狸和神灶中的老鼠，都是微不足道的小事物，但因为它们有所依仗，所以要想除掉它们还真不容易。何况世家皇亲历来就是难以管理的。汉、晋以来就不能控制，武德年间很多皇亲国戚骄横放纵，陛下登基后他们才开始有所收敛。薛仁方既然担当主管人员，尽职为国家执法，怎么能对他随便施加刑罚，以达到外戚挟私报复的目的呢？如果开了这个先例，以后各种不良事端就会接踵而来，到时后悔也来不及了。自古以来能禁止外戚骄纵的只有陛下一个人。防止意外，是治国的常识。怎么能在河水尚未泛滥的时候就毁掉堤坝呢？我私下认为，这种做法是不对的。"

太宗说："确实如你所说，先前我没有仔细考虑。但是薛仁方擅自拘留他人而不申报，也是专权行为，虽算不上是重罪，但也应稍加惩罚。"于是太宗下令打了薛仁方二十杖，免予解职处分。

# 君臣鉴戒第六

## 一

贞观三年，太宗谓侍臣曰："君臣本同治乱，共安危，若主纳忠谏，臣进直言，斯故君臣合契[①]，古来所重。若君自贤，臣不匡正，欲不危亡，不可得也。君失其国，臣亦不能独全其家。至如隋炀帝暴虐，臣下钳口，卒令不闻其过，遂至灭亡，虞世基等，寻亦诛死。前事不远，朕与卿等可得不慎，无为后所嗤！"

【注释】

①合契：对合符契，符合，投合。

【译文】

贞观三年（629），唐太宗对身边的大臣们说："君臣之间本来就应该同舟共济，同治乱，共安危，如果君主能够接受忠言，臣子能够直言进谏，那么君臣之间就会默契配合，这是自古以来治国所重视的方法。如果君主自以为贤明，而臣子却不匡正辅佐，想要国家不危亡是不可能的。君主如果失掉了江山，臣子也就不能保全自己的家族。像隋炀帝那样为人暴虐，臣子们都闭口不敢进言，终于使他听不到自己的过失，最后国破家亡，大臣虞世基等人不久也被杀死。这个惨痛的教训离我们并不远，我与各位大臣不能不谨慎行事，千万不要让后人讥笑啊！"

## 二

贞观六年，太宗谓侍臣曰："朕闻周、秦初得天下，其事不异。然周则惟善是务[①]，积功累德，所以能保八百之基。秦乃恣其奢淫，好行刑罚，不过二世而灭。岂非为善者福祚[②]延长，为恶者降年不永[③]？朕又闻桀、纣，帝王也，以匹夫比之，则以为辱。颜、闵[④]匹夫也，以帝王比之，则以为荣。此亦帝王深耻也。朕每将此事以为鉴戒，常恐不逮，为人所笑。"

魏徵对曰："臣闻鲁哀公谓孔子曰：'有人好忘者，移宅乃忘其妻。'孔子曰：'又有好忘甚于此者，丘见桀、纣之君乃忘其身。'愿陛下每以此为虑，庶免后人笑尔。"

### 【注释】

①惟善是务：凡是好事，就认真去做。

②福祚（zuò）：这里指江山基业。

③降年不永：永，长久，永远。指上天赐予人们的年龄不会长久。

④颜、闵：孔子的弟子颜回和闵损，二人以德行著称。

### 【译文】

贞观六年，唐太宗对身边的大臣们说："我听说周朝、秦朝刚取得天下的时候，治理国家的方法并没有什么不同。但是周朝建立后推行仁政，积累功德，所以能够将自己的基业保持八百多年。而秦朝却恣意妄为，滥施刑罚，所以只经历了两代帝王就灭亡了。这难道不是做善事可以延长福祚，做恶事会使国家年寿衰短吗？我又听说夏桀、商纣虽然贵为帝王，但是普通百姓与他们相比，都对他们的行为感到羞耻。颜回、闵损虽是普通百姓，但帝王与他们相比，也会以他们的言行为荣。这也是帝王应该感到羞惭的事。我时常用这些事作为鉴戒，并经常告诫自己，担心自己的德行赶不上颜回、闵损，而被人耻笑。”

魏徵听后说：“我听说鲁哀公对孔子说：‘有个人很健忘，他搬家时把自己的妻子给忘了。’孔子说：‘还有比这个人更健忘的，我看像夏桀、商纣这样的君主，他们就非常健忘，连自己都给忘了。’希望陛下以此为戒，以免被后人耻笑。”

## 三

夫君臣相遇，自古为难。以石投水，千载一合，以水投石，无时不有。其能开至公之道，申天下之用，内尽心膂[①]，外竭股肱，和若盐梅[②]，固同金石者，非惟高位厚秩，在于礼之而已。昔周文王游于凤凰之墟，袜系解，顾左右莫可使者，乃自结之。岂周文之朝尽为俊乂[③]，圣明之代独无君子者哉？但知与不知，礼与不礼耳！……《礼记》称：“鲁穆公问于子思曰：‘为旧君反服，古欤？’子思曰：‘古之君子，进人以礼，退人以礼，故有旧君反服之礼也。今之君子，进人若将加诸膝，退人若将队诸泉。毋为戎首，不亦善乎，又何反服之礼之有？’”……孟子曰：“君视臣如手足，臣视君如腹心；君视臣如犬马，臣视君如国人；君视臣如粪土，臣视君如寇仇。”虽臣之事君无二志，至于去就之节，当缘恩之厚薄，然则为人主者，安可以无礼于下哉！

【注释】

①心膂（lǚ）：心思与精力，聪明才智和浑身力气的统称。

②和若盐梅：盐和梅都是古代的调味品。比喻君臣之间相互投契。

③俊乂（yì）：才德出众的人。

【译文】

君主和臣子配合协调、相得益彰，自古以来就是一件很难得的事，就像是要让石头顺从流水，千年才能碰上一回；而让流水顺从石头，则时刻都在发生。君臣能够秉持大公无私的道义，让天下人才都发挥各自的才能，君主在内尽心尽力，大臣在外竭力辅佐，二者融洽得就像汤中的盐和梅，坚固得就像金石一样，达到这样的境界，不是靠高官厚禄，而在于以礼相待。以前周文王巡游凤凰台的时候，系袜的带子开了，他看了看周围的人没有一个可以使唤的，便自己把袜带系好了。难道周文王的朝臣全都是贤良的人，而今天的圣明时代却缺少君子吗？只不过是在于知遇不知遇，礼遇不礼遇罢了！……《礼记》上说："鲁穆公问子思说：'被放逐的朝臣仍为原来的君主服丧，符合古代礼制吗？'子思说：'古代有道德的君主，用人时以礼相待，斥退人时也以礼相待，所以有被斥退的臣子为旧君服丧的礼制。现在的君主，用人的时候好像要把人抱在膝盖上，斥退人的时候好像要把人推入深渊。所以，被斥退的臣子不当戎首率兵来讨伐就不错了，哪里还有为旧君主服丧的礼节呢？'"……孟子说："君主把臣子视为手足，臣子就会视君主如腹心；君主把臣子看作犬马，臣子就会把君主视作陌路人；君主把臣子看作粪土，臣子就会把君主视作仇敌。"虽然臣子侍奉君主不能有二心，至于在决定去留的原则上，应当根据君主对臣子的恩德厚薄而定，那么作为君主，怎么可以对臣下无礼呢？

# 择官第七

## 一

贞观三年，太宗谓吏部尚书杜如晦曰："比见吏部择人，惟取其言词刀笔①，不悉其景行②。数年之后，恶迹始彰，虽加刑戮，而百姓已受其弊。如何可获善人？"

如晦对曰："两汉取人，皆行著乡闾③，州郡贡之，然后入用，故当时号为多士。今每年选集，向数千人，厚貌饰词④，不可知悉，选司但配其阶品而已。铨简⑤之理，实所未精，所以不能得才。"

太宗乃将依汉时法，令本州辟召，会功臣等将行世封，事遂止。

【注释】

①刀笔：这里指文章。

②景行：崇高的德行。

③乡闾：乡里。泛指民众聚居之处。

④厚貌饰词：伪装忠厚。

⑤铨（quán）简：考量选拔。

【译文】

贞观三年，唐太宗对吏部尚书杜如晦说："近来，我发现吏部选择官员，只看他口才文笔是否出众，而不全面考察他的道德品行。几年之后，有些人的劣迹渐渐败露，虽然对他们进行了处罚，但老百姓已经深深受到伤害。那么，如何才能够选拔出优秀的人才呢？”

杜如晦回答说：“西汉和东汉时选拔的官员，他们的美德都是闻名乡里，由州郡推荐给朝廷，最后才被任用，所以两汉以人才济济著称。现在每年选拔官员，候选者多达数千人，这些人外表谨慎忠厚、言语巧加掩饰，不可能很全面地了解他们，吏部主管只能做到授予他们品级和职位而已。选补官员的规章制度实在不够完善，所以不能得到真正的人才。”

唐太宗于是打算依照两汉时选拔官员的方式，改由各州郡推荐人才，但因遇到功臣实行世袭封官授爵制，这件事就停止了。

## 二

贞观六年，太宗谓魏徵曰：“古人云，王者须为官择人，不可造次[①]即用。朕今行一事，则为天下所观；出一言，则为天下所听。用得正人，为善者皆劝；误用恶人，不善者竞进。赏当其劳，无功者自退；罚当其罪，为恶者戒惧。故知赏罚不可轻行，用人弥须慎择[②]。”

徵对曰：“知人之事，自古为难，故考绩黜陟[③]，察其善恶。今欲求人，必须审访其行。若知其善，然后用之，设令此人不能济事，只是才力不及，不为大害。误用恶人，假令强干，为害极多。但乱世惟求其才，不顾其行。太平之时，必须才行俱兼，始可任用。”

【注释】

①造次：鲁莽，仓促，轻率。

②弥须慎择：特别要慎重选择。

③考绩黜陟（chù zhì）：黜陟，指人才的进退，官吏的升降。考核官吏的制度，按其政绩好坏来决定升降。

## 【译文】

贞观六年，唐太宗对魏徵说："古人说过，君主必须根据官职来选择合适的人才，不能轻率任用。我现在每做一件事，就被天下人看到；每说一句话，就被天下人听到。任用了正直的人，干好事的人都会得到劝勉；任用了坏人，不干好事的人就会争相钻营求利。奖赏要和功绩相当，没有功劳的人就会自动退避；惩罚和罪过相称，坏人就会有所戒惧。由此可知，赏罚绝不可以轻易使用，用人更需要慎重选择。"

魏徵回答说："知人善任这件事，从古以来就是很难的，所以要用考核政绩的办法来决定官职的升降，来察看人的善恶。现在要访求人才，必须仔细察访他的品行。如果了解到他的品行真是好的，然后才可任用。即使这个人不会办事，只是才干和能力不够，不会造成大的危害。如果错用了品质恶劣的人，假使他能力强、会办事，那么造成的危害也会很大。但在天下混乱的时候，往往只要求他有才能，顾不上他的品行。天下太平的时候，必须是才能、品行都好的人才能被任用。"

## 三

贞观十四年，特进魏徵上疏曰：

"臣闻知臣莫若君，知子莫若父。父不能知其子，则无以睦一家；君不能知其臣，则无以齐万国。万国咸宁，一人有庆，必藉忠良作弼[1]。俊乂在官，则庶绩[2]其凝，无为而化矣。……然今之群臣，罕能贞白卓异者，盖求之不切，励之未精故也。若勖之以公忠，期之以远大，各有职分，得行其道。贵则观其所举，富则观其所养，居则观其所好，习[3]则观其所言，穷则观其所不受，贱则观其所不为。因其材以取之，审其能以任之，用其所长，掩其所短。进之以六正，戒之以六邪，则不严而自励，不劝而自勉矣。"

【注释】

①弼：辅助，帮助。

②庶绩：各种事业。此句意指各种事业才能成功。

③习：近习、亲近的意思。

【译文】

贞观十四年，特进魏徵上疏说：

"臣听说，了解臣子的人莫过于君主，了解孩子的莫过于父亲。如果父亲不了解自己的孩子，就无法使家庭和睦；如果君主不了解自己的臣子，就不能使天下一统。要使天下太平，君主坐在朝廷上接受万民朝拜，那就要依靠忠臣良将的辅佐。贤臣在朝就会使政绩卓越，各种事业就会成功，君主不必操劳就可以无为而治了……然而如今的群臣之中，洁身自好、才能出众的人非常少，大概是因为朝廷对他们要求得不严，鼓励劝勉得不够。如果用公正忠诚来勉励他们，用建功立业的远大理想来激励他们，让他们各尽其职、各安其位，这样才能实现他们的主张。显贵处高位时要看他们所举荐的人，富裕时要看他们所蓄养的人，闲居时看他们所喜好的东西，亲近时要看他们所说的话，穷困时要看他们不屑接受的东西，卑贱时要看他们所不屑去做的事。根据他们的才能选拔人才，考察他们的能力，发挥他们的长处，回避他们的短处，用‘六正’去勉励他们上进，用‘六邪’去警戒他们。这样，即使不严厉地对待他们，他们自己也会刻苦自励，不用苦口婆心地劝勉，他们也会努力自勉。”

# 封建第八

## 一

“封君列国，藉其门资[①]，忘其先业之艰难，轻其自然之崇贵，莫不世增淫虐，代益骄侈。离宫别馆，切汉凌云，或刑人力而将尽，或召诸侯而共落。陈灵则君臣悖礼，共侮徵舒；卫宣则父子聚麀，终诛寿、朔。乃云为己思理，岂若是乎？内外群官，选自朝廷，擢士庶以任之，澄水镜[②]以鉴之，年劳优其阶品，考绩明其黜陟。进取事切，砥砺情深。或俸禄不入私门，妻子不之官舍。班条之贵，食不举火；剖符之重，居惟饮水。南阳太守，弊布裹身；莱芜县长，凝尘生甑。专云为利图物，何其爽欤！总而言之，爵非世及，用贤之路斯广；民无定主，附下之情不固。此乃愚智所辨，安可惑哉？至如灭国弑君，乱常干纪[③]，春秋二百年间，略无宁岁。次睢咸秩，遂用玉帛之君；鲁道有荡，每等衣裳之会。纵使西汉哀、平之际，东洛桓、灵之时，下吏淫暴，必不至此。为政之理，可以一言蔽焉。”

【注释】

①门资：门第，资望。

②水镜：指明鉴之人。

③乱常：破坏纲常，违背人伦。干纪：违犯法纪。

【译文】

“被分封的皇亲诸侯，凭借祖宗门第，忘记了祖先创业时的艰辛，轻视他们生来就享受的荣华富贵，一代比一代更加骄奢淫逸。他们修筑的离宫别馆高耸入云，有的耗尽民脂民膏为其效劳，有的邀约其他诸侯一起玩乐。夏朝大臣陈灵公违背君臣之礼，和臣子一起侮辱皇子徵舒。卫宣公违背父子之道，纳娶儿子的妻子，最终还将两个儿子寿和朔杀死，还说自己是为了治理好国家，难道是这个样子吗？如果朝廷内外的群官都是经过朝廷选拔的，挑选出来的官员士大夫让百姓来任用，让明鉴之人来鉴定审核，按照任职年数和政绩来决定他们官职的升降。这样一来，他们的进取之心就会日益迫切，并注意培养高尚的情操。有的人廉洁奉公，不把分文官禄带回家；有的人只身赴任，将妻儿留在家中。有的人官位显赫，却吃着粗茶淡饭；有的人身为封疆大吏，却自己携带米粮，只喝当地的水。东汉南阳太守羊续经常布衣裹身；莱芜县令范丹家贫如洗，米缸上经常蒙着一层灰。如果说做官都是为了贪图利禄，为什么他们还这样清廉呢？总而言之，只要爵位俸禄不是世袭，任用贤才的路子就会很宽广；百姓要是没有一个固定的国君，依附于下的感情就不会巩固。这个道理是聪明的人和愚昧的人都懂得的，怎么会迷惑不解呢？至于像灭国弑君、败坏纲纪一类的事，在春秋二百年间，几乎没有安宁的年份。宋襄公到睢水祭祀，竟杀掉鄫国国君做祭品；鲁国的道路平坦开阔，竟也有庄公夫人姜氏私自与齐侯幽会的事情。即使是西汉哀帝、平帝之际，东汉桓帝、灵帝之时，下层官吏也不至于荒淫残暴到这种程度。

治理国家的道理，可以用一句话就概括说明了。”

## 二

中书舍人马周又上疏曰：

“伏见诏书令宗室勋贤作镇藩部，贻厥子孙，嗣守其政，非有大故，无或黜免。臣窃惟陛下封植之者，诚爱之重之，欲其绪裔承守①，与国无疆，可使世官也。何则？以尧、舜之父，犹有朱、均之子？况下此以还，而欲以父取儿，恐失之远矣。傥有孩童嗣职，万一骄逸，则兆庶被其殃，而国家受其败。政欲绝之也，则子文之治犹在；政欲留之也，而栾黡之恶已彰。与其毒害于见存之百姓，则宁使割恩于已亡之一臣，明矣。然则向之所谓爱之者，乃适所以伤之也。臣谓宜赋以茅土，畴其户邑，必有材行，随器方授，则翰翮②非强，亦可以获免尤累③。昔汉光武不任功臣以吏事，所以终全其世者，良由得其术也。愿陛下深思其宜，使夫得奉大恩，而子孙终其福禄也。”

太宗并嘉纳其言。于是竟罢子弟及功臣世袭刺史。

【注释】

①绪裔承守：世代袭守职位。

②翰翮（hé）：原指羽毛、羽翼，这里指德行、能力。

③尤累：过失。

【译文】

中书舍人马周又上疏说：

“我见陛下下诏让宗室子弟和有功之臣到封地做刺

史，并且可以传位给子孙，使他们世袭刺史的职位，没有大的原因，不被罢免。我私下认为陛下分封土地给皇族功臣，确实是爱护和重视他们，希望他们的王位得到世袭，与大唐的政权一样万寿无疆，可以世代为官。为什么要这样呢？像尧、舜这样圣明的君王，尚且有丹朱、商均这样无能的子孙，何况尧、舜以下的人，要根据父亲的功德来推断儿子，恐怕是相差太远了。如果后辈子孙在孩童时就继承父亲的职位，万一长大以后变得骄奢放纵起来，那么不仅百姓遭殃，国家也会被其败坏。如果取消他们的官职和封地，但其先祖的功业还在；如果保留他们的官职和封地，但他本人已经罪恶昭彰。与其让这样的人危害百姓，还不如割爱断恩于一个已故的功臣，这才是明智的做法。如此一来，过去认为是对他们的爱护，其实恰恰是对他们的伤害。所以，我认为对宗亲和功臣分封土地、犒赏封邑就足够了；他们的子孙中确实有才能的，可以根据其特长授予官职，对于那些能力不强的人，也可以免除过失。过去汉光武帝不让功臣担任官职，所以才能保全他们的名节性命，实在是因为处理方法得当啊。希望陛下深思相关事宜，使宗亲和功臣能够蒙受大恩，同时使其后代也能享受福禄。”

太宗非常赞许并接纳了这些意见，最终下令废除了分封宗室子弟及功臣世袭刺史的制度。

# 太子诸王定分第九

## 一

贞观十一年，侍御史马周上疏曰："汉、晋以来，诸王皆为树置[①]失宜，不预立定分，以至于灭亡。人主熟知其然，但溺于私爱，故使前车既覆而后车不改辙也。今诸王承宠遇之恩有过厚者，臣之愚虑，不惟虑其恃恩骄矜也。昔魏武帝宠树陈思，及文帝即位，防守禁闭，有同狱囚，以先帝加恩太多，故嗣王[②]从而畏之也。此则武帝之宠陈思，适所以苦之也。且帝子何患不富贵？身食大国[③]，封户不少，好衣美食之外，更何所须？而每年别加优赐，曾无纪极。俚语曰：'贫不学俭，富不学奢。'言自然也。今陛下以大圣创业，岂惟处置见在子弟而已？当须制长久之法，使万代遵行。"

【注释】

①树置：树立，这里指封授爵位或职务。

②嗣王：继位之王。

③身食大国：指封地很大。

【译文】

贞观十一年（637），侍御史马周上疏说："从汉、晋以来，所分封的诸王都因为封授的位置不合适，没有预先定好各自的名分地位，招致了灭亡的灾祸。国君大都很清楚这种情况，但因为沉溺于个人感情，没有吸取'前车之鉴，后车之覆’的教训而改变做法。现在诸王当中，有的过于受宠，我所担心的，不仅仅是他们倚仗宠爱而骄奢自大。从前魏武帝曹操宠爱陈思王曹植，后来魏文帝曹丕即位后，便对陈思王防范禁闭，使他像监狱里的囚犯一样，这是因为先皇对陈思王的宠爱太多，所以继位的君主因有所疑虑和恐惧而加倍提防他。这是魏武帝宠爱陈思王，反而害了他。而且皇帝的儿子还有必要担心没有富贵可享受吗？他们分封的土地很多，食邑户数也不少，衣食无愁，还需要有什么呢？何况陛下每年还另外给予他们优厚的赏赐，完全没有规定限制。俗话说：‘穷了不用学节俭，富了不用学奢侈。’意思是说，这些习性是自然获得的。难道陛下当初创业的目的，仅仅是为了处理安置现在的子弟吗？陛下现在应该制定长远的规章，让万代子孙遵照执行。”

## 二

贞观十三年，谏议大夫褚遂良以每日特给魏王泰府料物[①]，有逾[②]于皇太子，上疏谏曰：“昔圣人制礼，尊嫡卑庶[③]。谓之储君，道亚霄极[④]，甚为崇重，用物不计，泉货财帛，与王者共之。庶子体卑，不得为例，所以塞嫌疑之渐，除祸乱之源。而先王必本于人情，然后制法，知有国家，必有嫡庶。然庶子虽爱，不得超越嫡子，正体特须尊崇。如不能明立定分，遂使当亲者疏，当尊者卑，则佞巧之徒承机而动，私恩害公，或至乱国。伏惟陛下功超万古，道冠百王，发施号令，为世作法。一日万机，或未尽美，臣职谏诤，无容静默。伏见储君料物，翻少魏王，朝野见闻，不以为是。臣闻

《传》曰：‘爱子，教以义方。’忠、孝、恭、俭，义方之谓。昔汉窦太后及景帝并不识义方之理，遂骄恣梁孝王，封四十余城，苑方三百里。大营宫室，复道弥望，积财镪[5]巨万计，出警入跸[6]，小不得意，发病而死。宣帝亦骄恣淮阳王，几至于败，赖其辅以退让之臣，仅乃获免。且魏王既新出阁，伏愿恒存礼训，妙择师傅，示其成败；既敦之以节俭，又劝之以文学。惟忠惟孝，因而奖之；道德齐礼，乃为良器。此所谓‘圣人之教，不肃而成’者也。”

【注释】

①料物：指食物用物等。

②逾：超过。

③尊嫡卑庶：意为尊重正宗，不重旁支。

④道亚霄极：德行仅次于国君，这里比喻朝廷君王。

⑤财镪（qiǎng）：镪，穿钱的绳子。意指钱财。

⑥出警入跸（bì）：古代帝王出称警，入称跸，进出时所经之处都要警备、清道。此处泛指帝王的车驾护卫。

【译文】

贞观十三年（639），谏议大夫褚遂良因为每日供给魏王府的东西，远远超过了太子，于是向唐太宗进谏说：“从前圣人制定的礼制，是尊重嫡子，抑制庶子。作为储君的太子，德行仅次于国君，地位极其尊贵，日常用物与钱财不用限制，可以和君主共同享用。庶子则地位低下，不得与太子享受同样多的俸禄，这被用来防止嫌疑，根除祸源。可是古代的圣王一定是以人与人之间的感情为基础，然后才制定国家礼法的。他们知道有国有家，必然有亲疏贵贱，虽然庶子女也值得疼爱，但不得超过尊贵的太子，这样才能安定有序。如果不能确立各自的名分，就会造成应当亲近的人被疏远，应当尊敬的人被冷落的局面。这样，谄媚取巧之徒就会乘机兴风作浪，以个人恩怨危害国家公道，惑乱人心。臣希望陛下为国家制定明确的法令，颁布执行，让您的功业千古流芳，成为后世帝王的楷模。陛下日理万机，或许还有些事情做得不够完美。但臣子们的职责是指正您的过失，不容许有沉默不言的时候。我发觉供奉给太子的东西比魏王还少，朝廷和民间听说了这件事后，都觉得做得不对。《左传》上说：‘爱护孩子，就要用礼义规矩来教导他。’忠、孝、恭、俭，这是做人的基本准则。过去汉代窦太后和汉景帝都不知道这个道理，于是娇宠梁孝王，封赐给他四十多座城池，封地达方圆三百余里。梁孝王骄纵奢侈，大肆修建宫室，建造的宫室四处可见，积聚的钱财更是数以万计，他进出都城时更是威风凛凛，不可一世，清道仪式如同帝王一样，但他后来遇上不得意的事情，竟然发病而死。汉宣帝也娇惯淮阳王，差点造成汉朝的败亡，幸亏有谦逊的大臣辅佐，才获得幸免。何况魏王是新近出藩到封地就任的，我希望皇上经常用礼义对他进行训导，选择良师教他国家兴亡成败的道理；既要教他勤俭节约，又要用文章学问来劝勉他。尽忠尽孝，就予以奖励；并用道德来引导他，用礼仪来约束他，这样才能使他成为有用的人才。这就是所谓‘圣人的教化，不用疾言厉色就能使一个人成为栋梁之材的道理’。”

# 尊敬师傅第十

## 一

贞观六年，诏曰："朕比寻讨经史，明王圣帝，曷尝无师傅哉？前所进令，遂不睹三师[①]之位，意将未可。何以然？黄帝学大颠，颛顼学录图，尧学尹寿，舜学务成昭，禹学西王国，汤学威子伯，文王学子期，武王学虢叔。前代圣王，未遭此师，则功业不著乎天下，名誉不传乎载籍。况朕接百王之末，智不同圣人，其无师傅，安可以临兆民者哉？《诗》不云乎：'不愆不忘，率由旧章[②]。'夫不学，则不明古道，而能政致太平者未之有也！"

【注释】

①三师：北魏以后称太师、太傅、太保为"三师"，都是古代与天子帝王坐而谈道或辅导太子的官员。

②不愆（qiān）不忘，率由旧章：愆，过失，差错。率，遵循。旧章，老规矩。该句的意思是不犯过失不忘本，一切按照老规矩办事。

【译文】

贞观六年，唐太宗下诏说："我近来研读经典史册，古代英明的帝王，哪一个没有师父呢？先前呈上来的待批诏令竟没有设立三师的职位，我认为这样不好。为什么呢？

黄帝曾向大颠学习，颛顼曾向录图学习，尧曾向尹寿学习，舜曾向成昭学习，禹曾向西王国学习，汤曾向威子伯学习，文王曾向子期学习，武王曾向虢叔学习。前代圣明的君王，如果没有受到这些名师的点化，他们的功绩就不能广布天下，声名也不能永垂史册。何况我在历代帝王之后统领天下，才智比不上圣人，如果再没有师父的指导，怎么能够统率天下百姓呢？《诗经》上说：‘要想不犯错误不忘教训，都必须按照老规矩办事。’如果不学习，就不能明白古时治国的道理。没有名师教导就能统领天下的事，历史上还不曾有过啊！”

## 二

贞观八年，太宗谓侍臣曰：“上智之人，自无所染，但中智之人无恒①，从教而变。况太子师保②，古难其选。成王幼小，周、召为保傅。左右皆贤，日闻雅训，足以长仁益德，使为圣君。秦之胡亥，用赵高作傅，教以刑法，及其嗣位，诛功臣，杀亲族，酷暴不已，旋踵而亡。故知人之善恶，诚由近习。”

【注释】

①无恒：无常，不稳定。

②师保：古代辅导天子和太子、诸侯子弟的官员或保傅。

【译文】

贞观八年（634），唐太宗对身边的大臣们说：“智慧高明的圣人，自然不会沾染恶习，但智慧中等的人不稳定，他们的性情会随着所受教育的变化而变化，况且太子的师傅，自古以来就很难挑选。周成王即位时年纪幼小，周公和召公做他的太保太傅。左右都是贤明之人，每天他都能听到有益的教诲，足以增长他的仁义道德，使他成为一代圣君。秦朝的胡亥，用赵高做师父，赵高教他严刑峻法，等到胡亥继位后，就诛戮功臣，屠杀亲族，残酷暴虐到了极点，结果秦国很快就灭亡了。由此可知，人的善恶确实会受到身边人的影响。”

## 三

伏惟陛下诞睿膺图，登庸历试。多才多艺，道著于匡时；允文允武，功成于纂祀。万方即叙，九围清晏。尚且虽休勿休，日慎一日，求异闻于振古，劳睿思于当年。乙夜观书，事高汉帝；马上披卷，勤过魏王。陛下自励如此，而令太子优游弃日，不习图书，臣所未谕一也。加以暂屏机务，即寓雕虫。纡宝思于天文，则长河韬映；摛玉华于仙札，则流霞成彩。固以锱铢万代，冠冕百王，屈、宋[①]不足以升堂，钟、张[②]何阶于入室？陛下自好如此，而令太子悠然静处，不寻篇翰，臣所未谕二也。陛下备该众妙，独秀寰中，犹晦天聪，俯询凡识。听朝之隙，引见群官，降以温颜，访以今古，故得朝廷是非，里闾好恶，凡有巨细，必关闻听。陛下自行如此，而令太子久趋入侍，不接正人，臣所未谕三也。陛下若谓无益，则何事劳神；若谓有成，则宜申贻厥。蔑而不急，未见其可。伏愿俯推睿范，训及储君。授以良书，娱之嘉客。朝披经史，观成败于前踪；晚接宾游，访得失于当代。间以书札，继以篇章，则日闻所未闻，日见所未见。副德愈光，群生之福也。

## 【注释】

①屈、宋：指屈原和宋玉。二人皆善辞赋。

②钟、张：指钟繇和张芝。二人皆善书法。

## 【译文】

陛下天生睿智伟略，蒙受天命登上帝位，历经诸多考验。多才多艺，德行显著于匡补时弊；文武双才，创建基业给后世。万方有序，九州太平。即使这样，陛下仍不敢懈怠，一天比一天谨慎，不断从历史兴亡中获得新知，还像当年那样终日劳神苦思。每天阅读典籍到深夜，事功比汉武帝还卓著；在马背上还手不释卷阅览经史，比魏武帝还勤勉。陛下如此勤勉自励，却让太子整日悠闲，荒废时间，不去读书学习，这是我第一个不理解的地方。此外，陛下一放下政务，马上投入文学创作。文章构思之妙，使银河顿失光彩；书法结构之精，令流霞飞彩黯然。因此称得上万世稀有之作，令历代君王望尘莫及，即使屈原、宋玉的文章都不足以相提并论，钟繇、张芝的书法也难登大雅之堂。陛下能够如此，却让太子悠然自处，无所事事，对文章书法十分冷淡，这是我第二个不理解的地方。陛下博采众长，独步天下，却还虚怀若谷，不耻下问。朝会之余，接见百官，和颜悦色，广闻博取，询问古今之理，所以能知道朝廷上的对错，民间的好恶，事不论大小，都必须亲自过问。陛下身体力行，却让太子长期入宫陪伴自己左右，不接触正人君子，这是我第三个不理解的地方。陛下如果认为做这些事没有好处，为何还对此事费尽心思呢？如果认为这些有益，那就应该加以申明，为子孙做出榜样。陛下轻视了此事，对此不加以重视，恐怕是不妥当的。我希望陛下推行您的榜样风范，教诫太子，用好书教授他，使他与有才能的人交往。使太子能在早晨披阅经史，探索前朝成败的经验；晚上接待宾客，询问当代社会的得失。空闲时经常写文章练书法，那么太子就会日渐进益，增加见闻、开阔眼界。他的德行就会愈来愈完美，这将是百姓的福气。

# 教戒太子诸王第十一

## 一

贞观十八年，太宗谓侍臣曰："古有胎教[①]世子，朕则不暇。但近自建立太子，遇物必有诲谕，见其临食将饭，谓曰：'汝知饭乎？'对曰：'不知。'曰：'凡稼穑艰难，皆出人力，不夺其时，常有此饭。'见其乘马，又谓曰：'汝知马乎？'对曰：'不知。'曰：'能代人劳苦者也，以时消息，不尽其力，则可以常有马也。'见其乘舟，又谓曰：'汝知舟乎？'对曰：'不知。'曰：'舟所以比人君，水所以比黎庶，水能载舟，亦能覆舟。尔方为人主，可不畏惧？'见其休于曲木之下，又谓曰：'汝知此树乎？'对曰：'不知。'曰：'此木虽曲，得绳则正，为人君虽无道，受谏则圣。此傅说所言，可以自鉴。'"

【注释】

①胎教：古代指孕妇谨言慎行，心情愉悦舒畅，给胎儿带来的良好影响便是"胎教"。

【译文】

贞观十八年（644），唐太宗对身边的大臣们说："古代有胎教世子的传说，我却没有时间顾及和思考这件事。但是自从最近立了太子以来，遇到事情都要教诲他应该懂得道理。见他将要吃饭，就问他说：‘你知道饭是怎么来的吗？’他回答：‘不知道。’我说：‘凡是耕种、收获这些辛苦的农事，全靠农民付出劳力。不违背农业时令，才常有这样的饭吃。’看见他骑马，又问他说：‘你知道骑马的道理吗？’他回答：‘不知道。’我说：‘马能够代替人做劳苦事情。要让它按时休息，不耗尽它的体力，这样就可以常有马骑。’看见他乘船，又问他说：‘你知道乘船的道理吗？’他回答：‘不知道。’我说：‘船好比是国君，水好比是百姓；水能浮载起船，也能掀翻船。你不久将做君主了，能不对此感到畏惧吗？’看见他靠在弯树下，又问他说：‘你知道这弯树的道理吗？’他回答：‘不知道。’我说：‘这树虽然长得弯曲，但经过墨线校正就可以加工成直材；做国君的虽然有时德行不高，但能接受规劝就可以成为圣明之君。这是傅说所讲的道理，你可以对照自己作为鉴戒。’”

## 二

贞观七年，太宗谓侍中魏徵曰：“自古侯王能自保全者甚少，皆由生长富贵，好尚骄逸，多不解亲君子远小人故尔。朕所有子弟，欲使见前言往行，冀其以为规范。”因命徵录古来帝王子弟成败事，名为《自古诸侯王善恶录》，以赐诸王。其序曰：

“观夫膺期受命[①]，握图御宇[②]，咸建懿亲[③]，藩屏王室，布在方策，可得而言。自轩分二十五子，舜举一十六族，爰历周、汉，以逮陈、隋，分裂山河，大启磐石[④]者众矣。或保乂王家，与时升降；或失其土宇，不祀[⑤]忽诸。然考其隆替，察其兴灭，功成名立，咸资始封之君；国丧身亡，多因继体之后。其故何哉？始封之君，时逢草昧，见王业之艰阻，知父兄之忧勤，是以在上不骄，夙夜匪懈。或设醴[6]以求贤，或吐飧而接士。故甘忠言之逆耳，得百姓之欢心。树至德于生前，流遗爱于身后。暨夫子孙继体，多属隆平，生自深宫之中，长居妇人之手，不以高危为忧惧，岂知稼穑之艰难？昵近小人，疏远君子，绸缪哲妇，傲狠明德，犯义悖礼，淫荒无度，不遵典宪，僭差[7]越等。恃一顾之权宠，便怀匹嫡之心；矜一事之微劳，遂有无厌之望。弃忠贞之正路，蹈奸宄之迷途。愎谏违卜，往而不返。虽梁孝、齐冏之勋庸，淮南、东阿之才俊，摧摩霄之逸翮，成穷辙之涸鳞，弃桓、文之大功，就梁、董之显戮。垂为炯戒[8]，可不惜乎？皇帝以圣哲之资，拯倾危之运，耀七德以清六合，总万国而朝百灵，怀柔四荒，亲睦九族。念华萼于《棠棣》，寄维城于宗子。心乎爱矣，靡日不思，爰命下臣，考览载籍，博求鉴镜，贻厥孙谋。臣辄竭愚诚，稽诸前训。凡为藩为翰，有国有家者，其兴也必由于积善，其亡也皆在于积恶。故知善不积不足以成名，恶不积不足以灭身。然则祸福无门，吉凶由己，惟人所召，岂徒言哉！今录自古诸王行事得失，分其善恶各为一篇，名曰《诸王善恶录》，欲使见善思齐，足以扬名不朽；闻恶能改，庶得免乎大过。从善则有誉，改过则无咎。兴亡是系，可不勉欤？”

【注释】

①膺期受命：膺期，承受期运。意指受命登基。

②握图御宇：掌握版图，治理天下。

③懿亲：至亲。

④磐石：巨石，指国家的根基。

⑤不祀：不被人奉祀，意指亡国。

⑥醴：甜酒。

⑦僭差：差，等级。僭越失度，超越本分。

⑧炯戒：明白显著的鉴戒。

## 【译文】

贞观七年（633），太宗对侍中魏徵说："自古以来，侯王能够自己保全自己的很少，都是因为他们生长在富贵之中，喜欢骄奢淫逸，大多不懂得亲近君子、疏远小人的道理。我想使所有的子弟知道前代王侯的言行，希望他们将此用来作为行动的规范。"于是命令魏徵采录自古以来帝王子弟成败的事迹，取名为《自古诸侯王善恶录》，分别赐给诸王。书的序言说：

"观察那些承受天命登基的帝王，掌握版图治理天下后，都分封自己的皇室宗亲、外戚做诸侯，来保障王室，这都记在典籍上，可以拿来讨论。从黄帝分封二十五个儿子，舜任命十六个部族首领，从此经过周代、汉代，到陈代、隋代，分裂国家，大动国家根基的人为数不少。诸侯王有的安定王族，随着时代流浮；有的失去封国，忽然灭亡，不能祭祀祖先。然而考察他们盛衰兴亡的规律，凡是功名成就的，都是最初分封的王侯；而丧国亡身的，大多属后继袭封的子孙。其中的原因是什么呢？始封的王侯，遇上国家草创时期，看到帝王事业的艰难险阻，知道父兄的忧劳勤苦，因此处于上位而不骄奢，日夜操劳而不懈怠。有的设甜酒招待贤人，有的吃饭时还停食以接见贤士。所以能够听到逆耳的忠言，得到百姓的欢心。他们生前建立最高尚的德行，将恩泽遗留到身死之后。到了承袭封爵的子孙一代，多遇太平盛世，在深宫之中出生，在妇人手里长大，不因在高位的危险而忧惧，哪里知道耕种收获的艰难呢？他们亲近小人，疏远君子，宠爱美妇，轻视美德，违背礼义，贪恋酒色而没有节制，不遵守法令制度，超越本分等级。仗恃国君一时宠爱，就怀有和嫡子匹敌的野心；自夸某一件事情的小功劳，就产生不可满足的欲望。抛弃忠贞的正道，踏上犯法作乱的邪路。任性不听规谏而违背天意，坚持错误而不知道改正。即使有梁孝王、齐王冏那样的功绩，有淮南王、陈思王那样的才能，也不免摧折了疾飞于云霄的翅膀，成为涸泽之鱼；丢掉了齐桓公、晋文公那样的大功，落得梁冀、董卓那样被杀头示众的下场。成为后世的明鉴，能不可惜吗？太宗皇帝以圣贤的姿态，拯救倾危的国运，显耀七德，扫清六方；统一天下，使百姓来朝拜，安抚四方边远之国，对九族亲善和睦。咏吟《棠棣》中华萼的乐章，顾念兄弟之情，以连城封赐宗子，辅佐王室。心中充满恩爱，无日不在思念。于是命令下臣，考察辑录典籍所载，广泛寻求借鉴，为子孙后代打算。臣特此竭尽浅薄能力，考察前代的历史教训。凡是藩镇诸侯、屏翰重臣，有封国有家族的人，他的兴盛必然由于积累善行，他的灭亡都是因为恶行积聚。由此可知，不积累善行，不能够成就功名；不积聚恶行，不会毁灭自身。然而福祸不是注定的，吉凶在于自己，由人招致，这岂是空话！如今辑录古代诸王行事得失，分善行、恶行各为一篇，称为《诸王善恶录》，希望能使诸王效法美善的德行，能够扬名不朽；知恶能改，能够避免大的过失。跟着好的学习就会得到赞誉，能改过就没有灾祸。这是关系到国家兴亡的大事，怎么能不自勉呢？”

# 规谏太子第十二

## 一

贞观五年，李百药为太子右庶子。时太子承乾颇留意《典》《坟》[①]，然闲宴之后，嬉戏过度。百药作《赞道赋》以讽[②]焉，其词曰：

"下臣侧闻先圣之格言，尝览载籍之遗则。伊天地之玄造，洎皇王之建国，曰人纪与人纲，资立言与立德。履[③]之则率性成道，违之则罔念作忒[④]。望兴废如从钧[⑤]，视吉凶如纠纆[⑥]。至乃受图膺箓，握镜[⑦]君临。因万物之思化，以百姓而为心。体大仪之潜运，阅往古于来今。尽为善于乙夜，惜勤劳于寸阴。故能释层冰于瀚海，变寒谷于蹛林[⑧]。总人灵以胥悦，极穹壤[⑨]而怀音。"

【注释】

①《典》《坟》:《五典》和《三坟》的简称。

②讽：指比较含蓄地进行批评和劝导。

③履：实行，执行。

④忒（tè）：差错。指走上邪路。

⑤从钧：钧，上天。指顺从天意。

⑥纆（mò）：绳索，这里指缠绕联结。

⑦握镜：持执明镜，比喻帝王受天命，怀明道。

⑧蹛（dài）林：匈奴秋社之处。

⑨穹壤：指天地。

【译文】

贞观五年（631），李百药为太子右庶子。当时，太子承乾对《五典》《三坟》这些古籍颇感兴趣，可是闲饮宴乐之后，游乐嬉戏稍微过度。于是，李百药作《赞道赋》来进行劝谏规劝，里面写道：

“我听说过古代圣贤遗留下来的格言，也曾经浏览过典籍上的遗训。自从开天辟地，帝王建国立邦以来，就有人伦纲纪来规范言论和德行。按照这些法则办事就能成就大道，违背了它就可能思想混乱、走向邪路。看待国家的兴亡如同顺从天意，观察人事的吉凶如同绳索的缠绕纠结。现在我们大唐国君承受天命，秉承清明之道，君临天下。必须根据事物变化的规律，把老百姓的利益放在自己心中。体会天地运行暗藏的变化规律，细细地研读古往今来的历史教训。要孜孜不倦地日夜做善事，珍惜光阴，勤劳治政。这样才能融化浩瀚海洋中的坚冰，将边远阴冷的山谷变成阳春。让海内万民欢悦，让天地都传颂君主的美好名声。”

## 二

贞观十三年，太子右庶子张玄素以承乾颇以游畋废学，上书谏曰：

“臣闻皇天无亲，惟德是辅，苟违天道，人神同弃。然古三驱之礼，非欲教杀，将为百姓除害。故汤罗一面，天下归仁。今苑内娱猎，虽名异游畋，若行之无恒，终亏雅度[①]。且傅说曰：‘学不师古，匪说攸闻。’然则弘道在于学古，学古必资师训。既奉恩诏，令孔颖达侍讲，望数存顾问，以补万一。仍博选有名行学士，兼朝夕侍奉。览圣人之遗教，察既往之行事，日知其所不足，月无忘其所能，此则尽善尽美。夏启、周诵焉足言哉！夫为人上者，未有不求其善，但以性不胜情，耽惑成乱。耽惑既甚，忠言尽塞，所以臣下苟顺，君道渐亏。古人有言：‘勿以小恶而不去，小善而不为。’故知祸福之来，皆起于渐。殿下地居储贰，当须广树嘉猷。既有好畋之淫，何以主斯匕鬯？慎终如始，犹恐渐衰，始尚不慎，终将安保！”

【注释】

①雅度：典章法度。

【译文】

贞观十三年，太子李承乾因为打猎而荒废了学业，右庶子张玄素于是上书进谏说：

“我听说上天对人不会偏私，只会辅佐有德之人。如果有人违背了天道，不管是人还是神都会遗弃他。古代打猎规定了‘三驱’的礼治，并不是教人杀生，而是为老百姓除害。所以商汤捕捉野兽的时候，张布的罗网只有一面，如此仁义之举终于使天下百姓归心。如今您在御苑之内打猎，虽然名义上和野外游猎不一样，但是如果如此放纵而没有节制，终究有失体统和法度。况且贤相父说过：‘在学业上不学习遵循古训教导，这是闻所未闻的。’因此，要弘扬道德就必须学习古礼，学习古礼必须依靠师父的教诲。我既然奉旨教太子读书，让孔颖达为太子讲解经书，就是希望殿下能经常询问古代的事迹和学问，万一有所不足可以弥补。另外，还应该选择一些博学多才的人，朝夕侍奉太子读书。阅读圣人的遗训，检查自己的言行，每天都能发现自己不足的地方，每月都能不忘记自己所学的东西，这样就尽善尽美了。那么，夏启、周诵这样的贤太子又何足称道呢！作为君主，没有谁不愿意追求美德的，只是因为有时理智不能克制情欲，沉溺迷惑才造成了昏庸。如果沉溺迷惑过于厉害，就会听不进忠言，因此，臣下随意附和，国君之道就会逐渐受损。古人说：'不要因为是小的过失就不加以改正，也不要因为善事很小就不愿去做。'应该知道，祸福都是由小事渐渐积累产生的。您身为太子，应该广泛树立自己美好的品德形象。已经形成喜爱打猎的癖好，将来如何能专心主持国事呢？谨慎从事，善始善终，尚且担心有时会慢慢懈怠，何况一开始就不谨慎，又如何保持到最后呢！"

# 仁义第十三

## 一

贞观元年，太宗曰："朕看古来帝王，以仁义为治者，国祚延长；任法御人者，虽救弊于一时，败亡亦促。既见前王成事，足是元龟①，今欲专以仁义诚信为治，望革近代之浇薄②也。"黄门侍郎王珪对曰："天下凋丧日久，陛下承其余弊，弘道移风，万代之福。但非贤不理，惟在得人。"太宗曰："朕思贤之情，岂舍梦寐！"给事中杜正伦进曰："世必有才，随时听用。岂待梦傅说，逢吕尚，然后为治乎？"太宗深纳其言。

【注释】

①龟：大龟，古代用以占卜。引申为借鉴的意思。

②浇薄：狡诈刻薄的社会风气。

【译文】

贞观元年，唐太宗说："我看古代的帝王，凡以仁义治理国家的，国运都很久远；用严刑酷法统领人民的，虽然能挽救一时的衰亡，但国家很快就会灭亡。既然我们看到了前代帝王成事的方法，就可以把它们用作统治国家的典范。现在，我们要以诚信、仁义作为治理国家的方针，希望这有助于铲除近代的虚伪之风。"黄门侍郎王珪回答说："天下仁义道德衰亡已经很长了，陛下在天下衰敝之时统领国家，弘扬古代圣贤的遗风，实乃万民之福。但治理好国家还需要有贤德的人才，不然是治理不好的。”太宗说：“我求贤若渴，即使夜晚做梦都梦到贤才。”给事中杜正伦说：“当今社会肯定有贤德的人才，随时等候陛下的发掘任用，哪里用得着去梦见傅说、遇到吕尚，然后才治理天下呢？”太宗十分赞赏他的话。

## 二

贞观二年，太宗谓侍臣曰：“朕谓乱离①之后，风俗难移。比观百姓渐知廉耻，官民奉法，盗贼日稀，故知人无常俗，但政有治乱耳。是以为国之道，必须抚之以仁义，示之以威信，因人之心，去其苛刻，不作异端②，自然安静。公等宜共行斯事也！”

【注释】

①乱离：因遭战乱而流离失所。

②异端：指违背道义的事情。

【译文】

贞观二年，唐太宗对身边的大臣们说：“我认为国家在经过战乱离别之后，社会风气很难在短时间内变好，近来我发现百姓逐渐懂得了廉洁和羞耻，官员庶民都能遵守法纪，盗贼一天比一天少，我才知道民间没有一成不变的风俗习惯，但是施政有治乱好坏的区别。所以，治理国家必须用仁义来抚慰百姓，同时还要显示出朝廷的威信，要顺应民心，废除苛刻的法令，不做背离道义的事情，这样社会自然会平定安静。你们应该共同努力来做好这件事。”

## 三

贞观四年，房玄龄奏言："今阅武库甲仗，胜隋日远矣。"太宗曰："饬[1]兵备寇虽是要事，然朕唯欲卿等存心理道，务尽忠贞，使百姓安乐，便是朕之甲仗。隋炀帝岂为甲仗不足，以至灭亡？正由仁义不修，而群下怨叛故也。宜识此心。"

【注释】

①饬（chì）：整顿，使……整齐。

【译文】

贞观四年（630），房玄龄上奏说："最近我检查武器库里的铠甲兵器，发现已远远超过隋朝了。"唐太宗说："整修兵器、防御寇乱，虽然是紧要的事情，但我更希望你们把心思用在治国之道，各自务必竭尽忠贞，使老百姓安居乐业，这才是我最理想的铠甲兵器。隋炀帝难道是因为铠甲兵器不足，才遭到灭亡的吗？正是由于他不施行仁义，群臣才会怨恨叛离他。你们应该理解我的想法。"

## 四

贞观十三年，太宗谓侍臣曰："林深则鸟栖，水广则鱼游，仁义积则物自归之。人皆知畏避灾害，不知行仁义则灾害不生。夫仁义之道，当思之在心，常令相继[1]，若斯须懈怠，去之已远。犹如饮食资身，恒令腹饱，乃可存其性命。"

【注释】

①继：继续，连续，不间断。

【译文】

贞观十三年，唐太宗对身边的大臣们说：“树林广袤就会有飞鸟栖息，水域深广就会有鱼儿游弋，多施仁义百姓自然会归顺。人们都知道因恐惧而躲避灾害，却不知施行仁义灾害就不会产生。仁义之道，应该牢记在心，不断地将它推行下去，若有片刻懈怠，就会远离仁义之道。这就好比人用饮食来滋养身体，要经常让肚子吃饱，才能够维持生命。”

# 忠义第十四

## 一

贞观五年，太宗谓侍臣曰："忠臣烈士，何代无之。公等知隋朝谁为忠贞？"王珪曰："臣闻太常丞元善达在京留守，见群贼纵横，遂转骑远诣江都，谏炀帝，令还京师，既不受其言，后更涕泣极谏，炀帝怒，乃远使追兵，身死瘴疠之地[①]。有虎贲郎中[②]独孤盛在江都宿卫，宇文化及起逆，盛惟一身，抗拒而死。"太宗曰："屈突通为隋将，共国家战于潼关，闻京城陷，乃引兵东走。义兵追及于桃林，朕遣其家人往招慰[③]，遽杀其奴。又遣其子往，乃云：'我蒙隋家驱使，已事两帝，今者吾死节之秋，汝旧于我家为父子，今则于我家为仇雠。'因射之，其子避走，所领士卒多溃散。通惟一身，向东南恸哭尽哀。曰：'臣荷国恩，任当将帅，智力俱尽，致此败亡，非臣不竭诚于国。'言尽，追兵擒之。太上皇授其官，每托疾固辞[④]。此之忠节，足可嘉尚[⑤]。"因敕所司，采访大业中直谏被诛者子孙闻奏。

【注释】

①瘴疠（zhàng lì）之地：湿热疫病地区，泛指环境恶劣。

②虎贲郎中：在皇帝身边担任卫戍的武官。

③招慰：招安抚慰。

④托疾固辞：假说有病而坚辞不受。

⑤嘉尚：赞赏之意。

【译文】

贞观五年，太宗对身边的大臣们说："忠臣烈士，哪一个朝代没有呢？你们知道隋朝有哪些忠孝贞良的人吗？"王珪说："我听说太常丞元善达留守在京城，见群贼乘机叛乱，于是就单刀匹马赶到江都，向隋炀帝进谏。炀帝让他还师京城，并没有接受他的劝告。元善达后来又哭着极力劝谏，炀帝大怒，于是派遣他到边塞从军，最后死在疫病横行的地方。还有虎贲郎中独孤盛，他在江都做卫士，当宇文化及起兵叛逆时，只有独孤盛一人奋力抵抗，直到战死。"太宗说："屈突通为隋将，与我军在潼关作战，听说京城陷落，便领兵向东奔走救援。当我们的军队追到桃林的时候，我派遣他的家仆前去招降，他就杀掉了他的家仆。后来我们又派遣他儿子去劝降，他却说：'我蒙受隋朝任用，已经侍奉两代帝王。现在是我以死保节的时候了，你我过去是父子，现在是仇敌了。'于是拿箭射他的儿子，他的儿子只好逃走了。最后他所带领的士兵全都逃走，只剩下他一人。屈突通向东南方向大声痛哭着说：'我蒙受国恩，担当将帅，智谋与力量都用尽了。今天的失败，不是我不尽心报国。'话刚说完，我们的追兵就将他抓住了。太上皇授给他官职，每次他都托病谢绝了。这种忠义操守，实在应该嘉奖推崇。"于是下令有关部门，查访在隋炀帝大业年间因敢于直谏而被杀大臣们的子孙，上奏朝廷。

## 二

贞观八年，先是桂州都督李弘节以清慎[①]闻，及身殁后，其家卖珠。太宗闻之，乃宣于朝曰："此人生平，宰相皆言其清，今日既然，所举者岂得无罪？必当深理[2]之，不可舍也。”

侍中魏徵承间[3]言曰：“陛下生平言此人浊，未见受财之所。今闻其卖珠，将罪举者，臣不知所谓。自圣朝以来，为国尽忠，清贞慎守，终始不渝，屈突通、张道源而已。通子三人来选，有一匹羸马[4]；道源儿子不能存立，未见一言及之。今弘节为国立功，前后大蒙赏赉，居官殁后，不言贪残，妻子卖珠，未为有罪。审其清者，无所存问，疑其浊者，旁责举人，虽云疾恶不疑，是亦好善不笃。臣窃思度，未见其可，恐有识闻之，必生枉议。”

太宗抚掌曰：“造次不思，遂有此语，方知谈不容易。并勿问之，其屈突通、张道源儿子，宜各与一官。”

【注释】

①清慎：小心为官，清正廉洁。

②深理：认真追究。

③承间：抓住空隙。

④羸马：病弱的马。

【译文】

贞观八年（634），以前桂州都督李弘节以清廉谨慎闻名，但他死后，他的家人却变卖珠宝。太宗听了这件事，在朝堂上说：“此人在世的时候，宰相都说他清廉，今天他的家人竟然变卖珠宝，那么推举他的人怎能没有罪过呢？必须严厉追究，不可掉以轻心。”

侍中魏徵趁机对太宗说道：“陛下一直说这个人为官不

清白，但没有看到他收受贿赂的地方。现在听说他的家人卖珠宝，就要治罪举荐他的人，我不知道这是什么原因。自开朝以来，能为国尽忠、清廉谨慎、自始至终不改的人，只有屈突通、张道源两个人而已。屈突通的三个儿子来应选，只有一匹病弱的马；张道源的儿子穷得无法维持生计，没有见陛下有一句话涉及这件事。现在李弘节为国家立下汗马功劳，前前后后都大受奖赏，李弘节在任或死后，并没有什么关于他贪婪的言论，他的妻子出来卖珠宝首饰，并没有什么罪过。明知清廉却从来没有关心过；怀疑一个人不清白，就连举荐的人都要受到责备，虽然说痛恨邪恶没有什么过错，但是喜欢善行却也不见得深厚。我暗暗思量这种做法，没有见到其中可以值得称道的，我担心有见识的人听到这些事，必然产生许多不好的议论。”

太宗听了拍手称赞道：“这是我做得不好，没有思考成熟，说错了话，现在才知道说话不能随便，李弘节的事就不要过问了。屈突通、张道源的儿子，都应该给他们各授予一个官职。”

## 三

贞观十一年，太宗谓侍臣曰：“狄人杀卫懿公，尽食其肉，独留其肝。懿公之臣弘演呼天大哭，自出其肝，而内[1]懿公之肝于其腹中。今觅此人，恐不可得。”

特进魏徵对曰：“昔豫让为智伯报仇，欲刺赵襄子，襄子执而获之，谓之曰：‘子昔不事范、中行氏乎？智伯尽灭之，子乃委质[2]智伯，不为报仇；今即为智伯报仇，何也？’让答曰：‘臣昔事范、中行，范、中行以众人遇[3]我，我以众人报之。智伯以国士遇我，我以国士报之。'在君礼之而已，亦何谓无人焉？"

【注释】

①内：使动用法，使……置于内，把……放在里边。

②委质：投靠。

③遇：动词，指对待，招待。

【译文】

贞观十一年（637），唐太宗对身边的大臣们说："夷狄杀了卫懿公，吃了他身上所有的肉，只留下他的心肝。卫懿公的臣子弘演呼天抢地地大哭，用刀取出自己的心肝，而把卫懿公的心肝藏在自己的腹中，今天要找到这类人，恐怕不容易了。"

特进魏徵回答说："从前豫让为智伯报仇，想刺杀赵襄子，赵襄子抓住了他，问道：'你曾经不是在范氏、中行氏的名下做臣子吗？智伯把他们全杀了，你不为你的主人报仇，反而投靠智伯，现在却还要为智伯报仇，这是为什么呢？'豫让回答说：'我辅佐范氏和中行氏时，他们像对待普通人那样对待我，所以我用普通人报答他们的方法来报答他们。智伯用对待贤士的礼节对待我，当然我也要以贤士的方式报答他。'这一切都取决于君主对待臣子的态度，怎么能说没有这样的忠臣呢？"

# 孝友第十五

司空房玄龄事继母，能以色养[1]，恭谨过人。其母病，请医人至门，必迎拜垂泣。及居丧，尤甚柴毁[2]。太宗命散骑常侍刘洎就加宽譬，遗寝床、粥食、盐菜。

虞世南，初仕隋，历起居舍人[3]，宇文化及杀逆之际，其兄世基时为内史侍郎，将被诛，世南抱持号泣，请以身代死，化及竟不纳。世南自此哀毁骨立者数载，时人称重焉。

韩王元嘉，贞观初为潞州刺史，时年十五。在州闻太妃有疾，便涕泣不食。及至京师发丧，哀毁过礼。太宗嘉其至性，屡慰勉之。元嘉闺门修整，有类寒素士大夫，与其弟鲁哀王灵夔[4]甚相友爱，兄弟集见，如布衣之礼。其修身洁己，内外如一，当代诸王莫能及者。

霍王元轨[5]，武德中初封为吴王。贞观七年，为寿州刺史。属高祖崩，去职，毁瘠过礼。自后常衣布服，示有终身之戚。太宗尝问侍臣曰："朕子弟孰贤？"侍中魏徵对曰："臣愚暗，不尽知其能，惟吴王数与臣言，臣未尝不自失。"太宗曰："卿以为前代谁比？"徵曰："经学文雅，亦汉之间、平[6]，至如孝行，乃古之曾、闵[7]也。"由是宠遇弥厚，因令妻徵女焉。

【注释】

①色养：顺承脸色，态度亲切。

②柴毁：面容憔悴、骨瘦如柴的样子。

③起居舍人：隋制，负责记录帝王言行的官职。

④灵夔（kuí）：唐高祖第十九子，韩王李元嘉的同母弟弟。

⑤元轨：唐高祖第十四子，好读书，多才艺。

⑥间、平：汉河间献王刘德、东平献王刘苍。

⑦曾、闵：指孔子弟子曾参和闵损。

【译文】

司空房玄龄侍奉继母，能顺承继母的脸色，恭敬谦谨的态度超过一般人。继母生病时，他每次请大夫上门，总会流泪迎拜大夫。在居丧期间，房玄龄更是由于悲伤过度，面容憔悴、骨瘦如柴。太宗派散骑常侍刘洎前去安慰劝解，并送去寝床、粥食和盐菜。

虞世南，起初在隋朝做官，担任起居舍人，在宇文化及杀死隋炀帝的时候，他的哥哥虞世基任内史侍郎，也要被一同诛杀。见到这种情况，虞世南抱着哥哥号啕痛哭，一再请求让自己代替哥哥去死，宇文化及却不同意。从此以后的好几年，虞世南都悲痛万分，并且消瘦得只剩骨架，他的这种品行被当时的人极为尊重推崇。

韩王李元嘉，在贞观初年，任潞州刺史，当时他年仅十五岁。在潞州听说他的母亲生病，于是痛哭流涕，不能饮食，后来到京城为母发丧，悲伤超过了丧礼的限度。唐太宗称赞他至情至性，常常安慰劝勉他。李元嘉治家严谨有礼，像寒门士大夫的家一样朴素，他和弟弟鲁哀王李灵夔手足情深，每次兄弟相见，就像普通百姓一样亲切随便。他这样洁身自好、内外如一，当时诸王没有能比得上他的。

霍王李元轨，在武德年间，被封为吴王，贞观七年，任寿州刺史。唐高祖死后，他放弃了官职，居丧时因哀伤过度而身体消瘦，超过了礼法的规定，并且从此以后常常穿粗布衣服，以此表达对高祖的悲戚和怀念。唐太宗曾经问侍臣："皇族中，谁最贤德？"侍中魏徵回答说："我愚钝，不能完全了解他们的能力。我和许多皇叔交谈过，只有吴王和我谈的那几次话，让我感到自愧不如。"唐太宗说："你认为他可以和前代的哪位贤人相比呢？"魏徵说："论经通礼仪，博学文雅，他相当于汉代河间献王德、东平献王苍。若论孝道，他可与古代的曾参、闵损相媲美。"从此，唐太宗对霍王更加宠爱信任，并把魏徵的女儿嫁给了他。

# 公平第十六

## 一

贞观二年，太宗谓房玄龄等曰："朕比见隋代遗老，咸称高颎善为相者，遂观其本传，可谓公平正直，尤识治体。隋室安危，系其存没。炀帝无道，枉见诛夷，何尝不想见此人，废书钦叹！又汉、魏已来，诸葛亮为丞相，亦甚平直，尝表废廖立、李严于南中，立闻亮卒，泣曰：'吾其左衽矣！'严闻亮卒，发病而死。故陈寿①称：'亮之为政，开诚心，布公道，尽忠益时者，虽仇必赏；犯法怠慢者，虽亲必罚。'卿等岂可不企慕及之？朕今每慕前代帝王之善者，卿等亦可慕宰相之贤者。若如是，则荣名高位，可以长守。"

玄龄对曰："臣闻理国要道，在于公平正直，故《尚书》云：无偏无党②，王道荡荡。无党无偏，王道平平。'又孔子称：'举直错诸枉③，则民服。'今圣虑所尚，诚足以极政教之源，尽至公之要，囊括区宇，化成天下。"

太宗曰："此直朕之所怀，岂有与卿等言之而不行也？"

【注释】

①陈寿：西晋史学家。

②无偏无党：偏，不公正。党，偏私。形容处事公正，没有偏向。

③举直错诸枉：举，选拔。错，通"措"，放置。诸，"之于"的合音。枉，邪曲。指举用正直的人而废弃邪恶的人。

【译文】

贞观二年，唐太宗对房玄龄等人说:“我近来见到隋代的一些旧臣遗老，他们都称赞高颎是做宰相的人才，于是我就去翻阅他的传记。此人确实可以称得上公平正直，治国方面尤其突出。隋朝的安危，跟他的生死关系密切。可惜他遇到隋炀帝这样的无道昏君，却被冤枉诛杀了。我何尝不想见到这样的人呢？就连读书时也时常放下书来对他钦仰、为他叹息。再者，汉、魏以来，诸葛亮做丞相，也非常公平正直，他曾经上表把廖立、李严罢官放逐到南中，后来廖立听到诸葛亮逝世，哭着说:‘我们大概要亡国了！’李严听到诸葛亮逝世，竟发病而死。所以陈寿称:‘诸葛亮执政，开诚心，布公道，尽忠国家，在当时做了不少有益于国家的事，虽是仇人，该赏的也必须奖赏；对违法犯纪玩忽职守的人，虽是最亲近的人也必须惩罚。’你们怎么能不仰慕学习他们呢？我如今常仰慕前代那些贤德的帝王，你们也应该仰慕那些贤德的宰相，如果能这样做，那么荣耀的名声和高贵的地位，就可以长久保持了。”

房玄龄对答道:“臣听说治理国家的关键，在于公平正直，所以《尚书》上说:‘不结党营私，王道就浩浩荡荡，不结党营私，王道就平平坦坦。’此外，孔子还说:‘举用正直的人而废弃邪恶的人，百姓就心服归顺。’如今圣上推崇的治国原则，确实体现了政治教化的根本，极尽至公之道的要义，可以用来囊括宇内，教化天下。”

太宗说:“这正是我心中所想的，但我怎能只对你们说说而不去实行呢？”

## 二

凡听讼理狱，必原父子之亲，立君臣之义，权轻重之序，测浅深之量。悉其聪明，致其忠爱，疑则与众共之。疑则从轻者，所以重之也，故舜命咎繇[1]曰："汝作士，惟刑之恤。"又复加之以三讯[2]，众所善，然后断之。是以为法，参之人情。故《传》曰："小大之狱，虽不能察，必以情。"而世俗拘愚苛刻之吏，以为情也者，取货者也，立爱憎者也，右亲戚者也，陷怨仇者也，何世俗小吏之情，与夫古人之悬远乎？有司以此情疑之群吏，人主以此情疑之有司，是君臣上下通相疑也，欲其尽忠立节，难矣。

【注释】

①咎繇（jiù yáo）：舜的贤臣。

②三讯：形容对决狱的慎重。

【译文】

凡是听讼判案，都要推究父子的亲情，树立君臣的情分，权衡罪行的大小，决定刑罚的轻重。要充分展现自己的聪明才智，将忠君爱民之心发挥到极致，如果有疑问就和大家一起商讨。存在疑问就从轻量刑，这样做就是对刑法的慎重，所以舜告诫咎繇说："你作为一名法官，在量刑的时候要心存怜悯。"还要加上向群臣、群吏和万民三次审讯，大家都认可了，才能定罪。可见，执法也要掺有人情。所以《左传》上说："大小案子，虽然不能明察，但一定要依照实际情况来处理。"但是，那些世俗苛刻、不知变通的官吏，认为所谓人情就是要获取财物，对有人情的案子就放宽处理，对于仇人就加以陷害。为什么世俗小人的想法和古人宽大为怀的情感有天壤之别呢？主管部门因为这样的人情而对司法官员产生了怀疑，天子又因为这样的人情而对主管部门产生了怀疑。这是君臣之间、上下之间在互相怀疑，这样，想要群臣树立节操，尽忠为国，那就太难了。

## 三

凡理狱之情，必本所犯之事以为主，不严讯，不旁求，不贵多端，以见聪明，故律正其举劾之法，参伍[①]其辞，所以求实也，非所以饰实也。但当参伍明听之耳，不使狱吏锻炼饰理成辞于手。孔子曰："古之听狱，求所以生之也；今之听狱，求所以杀之也。"故析言以破律[②]，任案以成法，执左道以必加也。又《淮南子》曰："沣水之深十仞，金铁在焉，则形见于外。非不深且清，而鱼鳖莫之归也。"故为上者以苛为察，以功为明，以刻下为忠，以讦多为功，譬犹广革，大则大矣，裂之道也。夫赏宜从重，罚宜从轻，君居其厚，百王通制。刑之轻重，恩之厚薄，见思与见疾，其可同日言哉！且法，国之权衡也，时之准绳也。权衡所以定轻重，准绳所以正曲直。今作法贵其宽平，罪人欲其严酷，喜怒肆志[③]，高下在心，是则舍准绳以正曲直，弃权衡而定轻重者也，不亦惑哉？诸葛孔明，小国之相，犹曰："吾心如秤，不能为人作轻重。"况万乘之主，当可封之日，而任心弃法，取怨于人乎？

【注释】

①参伍：交互错杂，综合比较。

②析言以破律：是指巧说诡辩，曲解律令。

③肆志：随心所欲。

【译文】

凡是审理案件，必须以犯罪事实为主，不能严刑逼供，不能节外生枝，不是牵连的头绪越多就越能显示审判者的聪明，所以法律规定了举证、审讯的制度，反复比验供词，是为了弄清事情真相，而不是要掩盖真相。多方调查，听取各方面的意见，是为了不使狱吏有徇私枉法、伪造判案文书的机会。孔子说："古代圣贤审理案子，是想尽办法给被告寻求生存的理由；今天的人审理案子，是千方百计地要将其置于死地。"所以巧说诡辩曲解律令，以案件判例替代法律，施展邪门歪道来加以严惩。《淮南子》上写道："沣水虽然很深，可是把金铁一类的东西放进去，在外边也看得一清二楚。不是因为水不够深或者水不够清澈，不然鱼也不会在里面生存。"所以，作为上司，把苛刻当作明察，把功多当作明智，把刻薄下属当作忠心，把诽谤他人当作功劳，这就像是一张大皮，虽然很大，但用来制造用品，就得裁开使用。赏赐应该从重，处罚应该从轻，君王应宽厚为怀，这是历代帝王普遍的治国之术。刑罚是轻还是重，恩遇是厚还是薄，被人感念还是被人嫉恨，这两种做法的效果，怎可同日而语呢？法律犹如国家的准绳和天平，天平是用来称重量的，准绳是用来测定曲直的。现在制定法律贵在宽大公平，而判人之罪却极其严酷，甚至只凭个人的喜怒任意处治，高下在心，这就等于舍掉准绳来端正曲直，抛开权衡来确定轻重，这不是太糊涂了吗？诸葛亮是小国蜀国的丞相，他还说过："我的心是一杆秤，不能因人不同而使标准不一样。"更何况是大国的君主呢？在天下太平的时候，怎能随意放弃法律的公平，让老百姓心生怨恨呢？

# 诚信第十七

## 一

贞观初，有上书请去佞臣者。太宗谓曰："朕之所任，皆以为贤，卿知佞者谁耶？"

对曰："臣居草泽①，不的②知佞者，请陛下佯怒以试群臣，若能不畏雷霆③，直言进谏，则是正人，顺情阿旨，则是佞人。"

太宗谓封德彝曰："流水清浊，在其源也。君者政源，人庶犹水，君自为诈，欲臣下行直，是犹源浊而望水清，理不可得。朕常以魏武帝多诡诈，深鄙其为人，如此，岂可堪为教令④？"

【注释】

①草泽：荒野之地，这里指民间。

②的：真实，确实。

③雷霆：形容大发脾气。

④教令：指政教和法令。

【译文】

贞观初年，有人上书请求唐太宗斥退身边的奸佞小人。唐太宗对上书的人说："我任用的人，都认为他是贤臣，你知道谁是奸佞小人吗？"

那人回答说："我住在民间，确实不知道谁是佞臣，请陛下假装发怒，来试一试身边的大臣们，如果谁不怕陛下的雷霆之怒，仍然能直言进谏，就是正直贤德的人，如果谁一味依顺陛下，不分曲直地迎合旨意，那就是奸佞的人。”

唐太宗对封德彝说：“流水是清还是浊，关键在于源头。君主是施政的源头，臣民就好比流水，君主自行欺诈妄为，却要求臣下行为正直，那就好比是水源浑浊而希望流水清澈一样，这在道理上是讲不通的。我常常认为魏武帝曹操言行多诡诈，所以很鄙视他的为人，如果现在我也这么做，还怎么去制定政教和法令呢？”

## 二

贞观十年，魏徵上疏曰：

“臣闻为国之基，必资于德礼；君之所保，惟在于诚信。诚信立则下无二心，德礼形则远人斯格[①]。然则德礼诚信，国之大纲，在于君臣父子，不可斯须而废也。故孔子曰：‘君使臣以礼，臣事君以忠[②]。’又曰：‘自古皆有死，民无信不立。’文子曰：‘同言而信，信在言前；同令而行，诚在令外。’然则言而不信，言无信也；令而不从，令无诚也。不信之言，无诚之令，为上则败德，为下则危身。虽在颠沛[③]之中，君子之所不为也。”

【注释】

①格：到，来。

②君使臣以礼，臣事君以忠：使，任用。事，侍奉。指君王任用臣子要符合礼的规范，臣子侍奉君主要忠心。

③颠沛：比喻处境困顿窘迫。

## 【译文】

贞观十年，魏徵上疏说：

“我听说治理国家的基础，一定要依托德行和礼仪；国君所应该坚守的，只在于诚实信用。诚信的形象树立了，大臣们对国君就不会产生二心；德行礼仪形成后，边远的人民也会来归顺。由此可见，德行、礼仪、诚实、信用就是国家的纲领，贯穿于君臣、父子关系之中，一刻也不能偏废。所以孔子说：‘君王任用臣子要符合礼仪的规范，臣子侍奉君主要忠心不二。’他还说：‘自古以来人终有一死，如果百姓不讲信用，就不能安身立命。’文子也说：‘说出话来能够使人相信，是因为说话之前已经取信于人；制定出法令能够得到执行，是因为法令之中含有诚意。’说了却不做，是言而无信；法令制定了却不被服从，是没有诚意。不被实行的言语，没有诚意的法令，对国君来说会败坏道德名声，对百姓来说会招致杀身的危险。因此即使身不由己，处境艰难，君子也不会做有失诚信的事情。”

## 三

若欲令君子小人是非不杂，必怀之以德，待之以信，厉[①]之以义，节之以礼。然后善善而恶恶，审[②]罚而明赏。则小人绝其私佞，君子自强不息，无为之治[③]，何远之有？善善而不能进，恶恶而不能去，罚不及于有罪，赏不加于有功，则危亡之期，或未可保，永锡祚胤[④]，将何望哉？

【注释】

①厉：勉励，劝勉。

②审：清楚了解。

③无为之治：老子的思想，指以仁德感化民众达到社会安定的统治方法。

④永锡祚胤（zuò yìn）：永远赐福给子孙后代。

【译文】

要想让君子小人判然有别，是非分明，君王必须用仁德来安抚他们，用诚信来对待他们，用道义来勉励他们，用礼仪来节制他们；然后才能表扬善行，摒除恶行，奖罚分明。如果这样做，小人就会无法施展他们的邪佞，君子就会自强不息，推行无为而治的治国方针，哪里还会遥远呢？如果表扬善行却不能任用善人，厌恶奸邪而又不能摒弃恶人，有罪的人得不到惩罚，有功之臣得不到奖赏，那么国家灭亡的日子说不定就会到来了，永远赐福给子孙后代还有什么指望呢？

**四**

贞观十七年，太宗谓侍臣曰："《传》称'去食存信①'，孔子曰：'民无信不立②。'昔项羽既入咸阳，已制天下，向③能力行仁信，谁夺耶？"

房玄龄对曰："仁、义、礼、智、信，谓之五常，废一不可。能勤行之，甚有裨益。殷纣狎侮④五常，武王夺之；项氏以无信为汉高祖所夺，诚如圣旨。"

【注释】

①去食存信：宁可失去粮食而饿死，也要坚守诚信。

②民无信不立：人没有诚信就不能安身立命。

③向：假如。

④狎侮：狎，轻视。侮，怠慢。指轻视怠慢。

【译文】

贞观十七年（643），唐太宗对身边的大臣们说："《论语》上说'宁可失去粮食而饿死，也要坚守诚信'，孔子说：'人没有诚信就不能安身立命。'从前，楚霸王项羽攻入咸阳，已经控制了天下，如果他能够努力推行仁政，那么谁还能和他争夺天下呢？"

房玄龄回答说："仁、义、礼、智、信，称为五常，废弃任何一项都不行，如果能够认真推行这五常，对国家是大有益处的。殷纣王轻视怠慢五常，被周武王灭掉，项羽因为没有信誉，被汉高祖夺了天下，确实像陛下所讲的那样。"

# 俭约第十八

## 一

贞观元年，太宗谓侍臣曰："自古帝王凡有兴造，必须贵顺物情[①]。昔大禹凿九山[②]，通九江[③]，用人力极广，而无怨讟者，物情所欲，而众所有故也。秦始皇营建宫室，而人多谤议者，为徇其私欲，不与众共故也。朕今欲造一殿，材木已具，远想秦皇之事，遂不复作也。古人云，'不作无益害有益''不见可欲，使民心不乱'，固知见可欲，其心必乱矣。至如雕镂器物，珠玉服玩，若恣其骄奢，则危亡之期可立待也。自王公以下，第宅、车服、婚嫁、丧葬，准品秩[④]不合服用者，宜一切禁断。"

由是二十年间，风俗简朴，衣无锦绣，财帛富饶，无饥寒之弊。

【注释】

①贵顺物情：贵，重视。指重视顺应事理人情。

②九山：指九州之山。

③九江：传说夏禹治水，疏通九江。具体所指，历来说法不一。

④品秩：品级身份。

【译文】

贞观元年（627），唐太宗对身边的大臣们说："自古以来，帝王凡是进行兴建土木的大事，必须重视顺应事理民情。曾经大禹开凿九山，疏通九江，所用人力极多，却没有痛恨抱怨的人，是因为这项工程是人心所向，大家都希望他这样做。秦始皇建造宫室，人民却非常反对，是因为秦始皇是为了满足个人的私欲，与人民的想法不一致。我现在想造一座宫殿，材木工具已经准备好了，但想想秦始皇的事，就打算放弃。古人说，‘不要做没有益处的事从而损害有益的事’，‘不显耀可以引起贪欲的财货，人民清净的心思就不至于被扰乱’。由此可以知道，显耀可引起贪欲的财货，人民的心一定会被扰乱。至于雕镂器物、珠玉服玩，如果放纵人民骄奢的社会风气，那么国家灭亡的日子很快就要到来了。自王公以下，宅第、车服、婚嫁、丧葬等各种事情，若按照品级不该使用的，应一律禁止。”

所以二十年来，风俗简朴，人们的衣着不追求华丽，物资富饶，没有发生饥寒之苦。

## 二

贞观四年，太宗谓侍臣曰：“崇饰宫宇，游赏池台，帝王之所欲，百姓之所不欲。帝王所欲者放逸[①]，百姓所不欲者劳弊。孔子云：‘有一言可以终身行之者，其恕乎！己所不欲，勿施于人。’劳弊之事，诚不可施于百姓。朕尊为帝王，富有四海，每事由己，诚能自节，若百姓不欲，必能顺其情也。”

魏徵曰：“陛下本怜百姓，每节己以顺人。臣闻：‘以欲从人者昌，以人乐己者亡。’隋炀帝志在无厌，惟好奢侈，所司每有供奉营造，小不称意，则有峻罚严刑[②]。上之所好，下必有甚，竞为无限，遂至灭亡。此非书籍所传，亦陛下目所亲见。为其无道，故天命陛下代之。陛下若以为足，今日不啻足矣。若以为不足，更万倍过此亦不足。”

【注释】

①放逸：游赏玩乐的意思。

②峻罚严刑：严酷的刑罚。

【译文】

贞观四年（630），唐太宗对身边的大臣们说：“扩建装饰宫殿，游览观赏池台水榭，是帝王想做的事情，却不是百姓希望帝王做的事情。帝王之所以想要做这些是为了要享乐，百姓不希望做这些是因为那样会使他们疲劳。孔子说：‘有一句可以终身施行的话，那就是恕！己所不欲，勿施于人。’疲劳的事情，实在不可以强加给百姓。我作为帝王，富有天下，每件事都由自己决定，确实能够自我约束。如果百姓不想做，就一定要顺应他们的想法。”

魏徵说：“陛下一向怜爱百姓，常常约束自己来顺应百姓。臣听说：‘使自己的欲望能够顺应民心的就会昌盛，用众人来满足自己享乐欲望的就会灭亡。’隋炀帝贪得无厌，喜好奢侈，有关部门每次供奉器物和营造宫殿，稍有不如意，就用严刑重罚来对待。上级有这个喜好，下级就一定会更加厉害，上下攀比，没有节制，最终就会导致灭亡。这不仅在书中有所记载，也是陛下亲眼看到的事实。因为隋炀帝暴虐无道，所以上天赐命让陛下取而代之。陛下如果认为这样就满足了，那么现在的尊贵富足也就足够了。如果不满足，那么再超过现在的一万倍也不会知足。”

# 谦让第十九

## 一

贞观二年，太宗谓侍臣曰："人言作天子则得自尊崇，无所畏惧，朕则以为正合自守谦恭，常怀畏惧。昔舜诫禹曰：'汝惟不矜，天下莫与汝争能；汝惟不伐[①]，天下莫与汝争功。'又《易》曰：'人道恶盈而好谦。'凡为天子，若惟自尊崇，不守谦恭者，在身倘有不是之事，谁肯犯颜谏奏？朕每思出一言，行一事，必上畏皇天，下惧群臣。天高听卑，何得不畏？群公卿士，皆见瞻仰[②]，何得不惧？以此思之，但知常谦常惧，犹恐不称天心及百姓意也。"

魏徵曰："古人云：'靡不有初，鲜克有终。'愿陛下守此常谦常惧之道，日慎一日，则宗社永固，无倾覆矣。唐、虞所以太平。实用此法。"

【注释】

①伐：自我夸耀功劳。

②瞻仰：这里是怀着敬畏的心情注视。

【译文】

贞观二年（628），唐太宗对身边的大臣们说："人们说，是天子就可以自以为尊贵崇高，无所畏惧了，我却认为天子更应该谦逊恭谨，经常心怀畏惧之情。过去，舜告诫禹说：'你只要不骄傲，天下就没有人和你争贤能；你只要不自夸，天下就没有人和你争功劳。’《易经》上说：‘人们都厌恶骄傲自满而崇尚谦逊恭谨。’做了天子，如果只认为自己尊贵崇高，却不保持谦逊恭谨的态度，假如自己犯错了，谁还会冒犯尊颜向他提意见呢？我经常想，帝王每讲一句话，每做一件事，一定要上畏皇天，下惧群臣。苍天在上却倾听着人世间的善恶，怎能不畏惧呢？公卿百姓都在下面注视着我，怎么能不让人产生畏惧之心呢？因此，即使帝王常怀谦逊恐惧之心，恐怕还是不能称上天之心和百姓之意啊！”

魏徵说：“古人讲：‘做事情都有个开始，但很少有人能坚持到底。’希望陛下保持经常谦逊畏惧的态度，一天比一天更谨慎从事，那么国家就会固若金汤，不会倾覆。唐尧、虞舜的时候之所以天下太平，实际上就是依靠这个方法。”

## 二

贞观三年，太宗问给事中孔颖达曰：“《论语》云：‘以能问于不能，以多问于寡；有若无，实若虚。’何谓也？”

颖达对曰：“圣人设教，欲人谦光[①]。己虽有能，不自矜大，仍就不能之人，求访能事。己之才艺虽多，犹病以为少，仍就寡少之人更求所益。己之虽有，其状若无；己之虽实，其容若虚。非惟匹庶[②]，帝王之德，亦当如此。夫帝王内蕴神明，外须玄默[③]，使深不可知。故《易》称‘以蒙养正’，‘以明夷莅众’。若其位居尊极，炫耀聪明，以才陵人，饰非拒谏，则上下情隔，君臣道乖。自古灭亡，莫不由此也。”

太宗曰："《易》云：'劳谦，君子有终，吉。'诚如卿言。"

【注释】

①谦光：因谦虚而愈有光辉。

②匹庶：平民百姓。

③玄默：深沉静默，不语。

【译文】

贞观三年（629），唐太宗问给事中孔颖达说："《论语》里讲：'有才能的人向没才能的人请教，知识多的人向知识少的人请教；有才能的人好像显得才疏学浅，知识渊博的人好像显得无知。'这句话是什么意思呢？"

孔颖达回答说："圣人施行教化，是希望尊者谦逊，从而显示其光辉的美德。有才能的人不骄傲自满，仍然向没才能的人请教他所不知道的事情。自己虽然多才多艺，但仍然害怕懂得太少，仍旧向才艺不如自己的人讨教，以求得更多的知识。自己虽然有知识，却不表现出来；自己内心虽然很充实，却表现得虚怀若谷。这句话不仅是对庶民百姓的要求，君主的品德修行也应当这样。君主的内心蕴藏神明，外表必须沉默，使人感到高远深邃，不易知晓。所以，《周易》上说，'要用蒙昧无知来自养正道'，'用明智来治理民众'。如果君主身居至尊之位，却炫耀自己的聪明，凭借才能盛气凌人，掩饰过错还拒绝诤谏，那么上下之间的情感就会被隔断，君臣之间的原则就会被抛弃。自古以来国家的灭亡，没有不是因此造成的。"

唐太宗说："《周易》说：'君子如果能够将勤劳谦逊

的品质保持到底，就会善始善终，是吉利的。’正和你所说的一样。”

## 三

河间王孝恭，武德初封为赵郡王，累授东南道行台尚书左仆射。孝恭既讨平萧铣、辅公祏，遂领江、淮及岭南北，皆统摄之。专制一方，威名甚著，累迁礼部尚书。孝恭性惟退让，无骄矜自伐之色。时有特进江夏王道宗，尤以将略①驰名，兼好学，敬慕贤士，动修礼让，太宗并加亲待。诸宗室中，惟孝恭、道宗莫与为比，一代宗英②云。

【注释】

①将略：精通武略。

②一代宗英：出类拔萃的人物。

【译文】

河间王李孝恭，在武德初年被封为赵郡王，后升迁到东南道行台尚书左仆射。李孝恭平定了萧铣、辅公祏的势力以后，长江、淮河及岭南、岭北一带都由他来统领。李孝恭控制一方后，威名远扬，不久又迁任礼部尚书。但李孝恭性格谦逊，丝毫没有骄傲自大的样子。当时，还有特进江夏王李道宗，以统兵打仗闻名，同时他又很有学问，并且崇敬仰慕贤明人士，一举一动都注意礼让，唐太宗很器重他们二人。在大唐宗室中，只有李孝恭、李道宗二人的德才无人能比，算得上是皇族中出类拔萃的英杰。

# 仁恻第二十

## 一

贞观初，太宗谓侍臣曰：“妇人幽闭深宫，情实可愍[1]。隋氏末年，求采无已，至于离宫别馆，非幸御之所，多聚宫人。此皆竭人财力，朕所不取。且洒扫之余，更何所用？今将出之，任求伉俪，非独以省费，兼以息人，亦各得遂其性。”于是后宫及掖庭[2]，前后所出三千余人。

【注释】

①愍（mǐn）：可怜。

②掖庭：皇宫中宫嫔所住的地方。

【译文】

贞观初年，唐太宗对身边的大臣们说：“妇女被禁闭在深宫里，实在很可怜。隋朝末年，隋炀帝无休止地挑选宫女，就连各种离宫别馆等君主并不居住的地方，也聚集了许多宫女。这都是耗竭百姓财力的行为，我不赞成这种做法。况且，这些宫女除了打扫宫室庭院，还有什么可干的事情呢？现在我打算放她们出宫，任凭她们选择配偶，这样不仅能节省开支，还可以使百姓减轻负担，平息宫女们的怨恨，也能使她们满意。”于是，唐太宗从后宫和旁舍，先后放出宫女三千多人。

## 二

贞观二年，关中旱，大饥。太宗谓侍臣曰："水旱不调，皆为人君失德。朕德之不修①，天当责朕，百姓何罪，而多遭困穷！闻有鬻男女者，朕甚愍焉。"乃遣御史大夫杜淹②巡检，出御府金宝赎之，还其父母。

【注释】

①不修：不善，不好。

②杜淹：杜如晦的叔父。起初为秦王府文学馆学士，太宗即位后，召为御史大夫。

【译文】

贞观二年（628），关中大旱，发生了大饥荒。唐太宗对身边的侍臣说："水旱不调和，都是由君王治国失道造成的。我修养品德不够好，应该受到苍天的惩罚，可是老百姓们有什么罪过呢，却遭受这样的困境！听说有很多卖儿卖女的困苦百姓，我对他们非常怜悯。"于是，派御史大夫杜淹出京巡视灾区，用皇家御府的资财赎回那些被卖的孩子，并送还给他们的父母。

## 三

贞观七年（633），襄州都督张公谨卒①，太宗闻而嗟悼②，出次发哀③。有司奏言："准《阴阳书》云：'日在辰，不可哭泣。'此亦流俗所忌。"

太宗曰："君臣之义，同于父子，情发于中，安避辰日？"遂哭之。

【注释】

①卒：去世，死亡。

②嗟悼：悲悼。

③出次发哀：次，处所。到郊外致以哀悼。

【译文】

贞观七年，襄州都督张公谨去世，唐太宗知道后哀伤而泣，并出宫为他悼唁发丧。有关部门上书说："根据《阴阳书》的说法：'辰日这一天，不可以哭泣。'在民间丧俗中这也是要避讳的。"

唐太宗说："君臣之间的情义，就像父子关系一样，悲伤哀痛之情发自内心，还避讳什么辰日呢？"于是痛哭不已，前往凭吊张公谨。

## 四

贞观十九年，太宗征高丽，次①定州，有兵士到者，帝御州城北门楼抚慰之。有从卒一人病，不能进，诏至床前，问其所苦，仍敕州县医疗之，是以将士莫不欣然愿从。及大军回次柳城，诏集前后战亡人骸骨，设太牢②致祭，亲临，哭之尽哀，军人无不洒泣。兵士观祭者，归家以言，其父母曰："吾儿之丧，天子哭之，死无所恨。"

太宗征辽东，攻白岩城，右卫大将军李思摩为流矢所中，帝亲为吮血，将士莫不感励。

【注释】

①次：临时驻扎。

②太牢：古代祭祀时将牛羊猪三牲具备称作太牢，这是古代国家规格最高的祭祀大典。

【译文】

贞观十九年（645），唐太宗征战高丽，驻扎在定州，只要有行军的士兵到来，唐太宗都要在御州城北门楼上慰问他们。当时，有一个士兵生病不能觐见，唐太宗亲自写诏书派人送到他的病床前，询问他的病情，还敕令州县的官为他治疗。所以不管是将军还是士兵，没有不愿意为朝廷尽忠随驾出征的。后来，大军回师驻扎在柳城，唐太宗下达诏令收集阵亡将士的遗骨，隆重祭奠，以太牢的仪式进行祭奠，唐太宗还亲自前去祭拜，为死者哀悼痛哭，在场的将士无不受到感染，流下热泪。参加过祭祀生还的士兵回到家乡，把这些事情告诉给死难者的父母，他们的父母说："我的儿子死了，天子还为他哭泣，真是死而无憾了。"

唐太宗亲征辽东时，在攻打白岩城的战役中，右卫大将军李思摩被乱箭射中，唐太宗亲自替他吸去污血，将士们无不因此而感动和受到激励。

# 慎所好第二十一

## 一

贞观二年，太宗谓侍臣曰：“古人云‘君犹器也，人犹水也，方圆在于器，不在于水’。故尧、舜率天下以仁，而人从之；桀、纣率天下以暴，而人从之。下之所行，皆从上之所好。至如梁武帝父子，志尚浮华，惟好释氏[1]、老氏[2]之教。武帝末年，频幸同泰寺，亲讲佛经，百寮皆大冠高履，乘车扈从[3]，终日谈论苦空[4]，未尝以军国典章为意。及侯景率兵向阙，尚书郎已下，多不解乘马，狼狈步走，死者相继于道路。武帝及简文卒被侯景幽逼而死。孝元帝在于江陵，为万纽于谨所围，帝犹讲《老子》不辍[5]，百寮皆戎服以听。俄而城陷，君臣俱被囚挚。庾信亦叹其如此，及作《哀江南赋》，乃云：‘宰衡[6]以干戈为儿戏，缙绅以清谈为庙略。’此事亦足为鉴戒。朕今所好者，惟在尧、舜之道，周、孔之教，以为如鸟有翼，如鱼依水，失之必死，不可暂无耳。”

【注释】

①释氏：指佛教。

②老氏：至道教。

③扈从：皇帝出巡时的护驾侍从。

④苦空：佛教语，意为人世间一切皆苦难，凡事俱空。

⑤不辍：不停止。

⑥宰衡：泛指宰相。

【译文】

贞观二年（628），唐太宗对身边的大臣们说："古人说'国君就好比是盛水的容器，百姓就好比是水，水的形态或方或圆在于容器，而不在于水本身'。所以，尧、舜以仁义道德统治天下，人们都跟随他们行善；而桀、纣以残暴统治天下，人们也都跟随着他们作恶。下边的人做什么，都是跟随上边人的喜好。至于像梁武帝父子崇尚浮华，只爱好佛教释迦牟尼、道教老子的教义。梁武帝末年，经常驾临同泰寺，亲自讲解佛经，随从的百官也都跟着戴大帽穿高靴，乘车随行，整天谈论佛道意旨，从不把军机国务及典章制度放在心上。等到侯景率兵攻向京城时，尚书郎以下的官员，大多都不会骑马，只能狼狈不堪地徒步逃跑，被杀死在路上的人比比皆是。最后，梁武帝和他儿子简文帝都被侯景囚禁逼死。梁孝元帝在江陵被万纽于谨领兵包围时，还在不停地讲《老子》，百官都穿着军服听讲。不久江陵城被攻陷，君臣都被俘虏。庾信也叹息他们这样的做法，在《哀江南赋》中写道：'宰相把战争当作儿戏，官吏把清谈当作朝政策略。'这件事情着实应该作为鉴戒。我现在所喜欢的，只有唐尧、虞舜的法则，周公、孔子的礼教，我觉得这就像鸟有翅膀和鱼儿靠水一样，失去它就必定会死亡，不能片刻没有。"

## 二

贞观二年，太宗谓侍臣曰："神仙事本是虚妄，空有其名。秦始皇非分[1]爱好，为方士所诈，乃遣童男童女数千人，随其入海求神仙。方士避秦苛虐，因留不归，始皇犹海侧踟蹰[2]以待之，还至沙丘而死。汉武帝为求神仙，乃将女嫁道术之人，事既无验，便行诛戮。据此二事，神仙不烦妄求也。”

【注释】

①非分：违背常理。

②踟蹰（chí chú）：徘徊。

【译文】

贞观二年（628），唐太宗对身边的大臣们说：“神仙的事本来就荒诞虚妄，空有其名。秦始皇却分外爱好仙术，结果被方士欺诈，竟然派童男童女几千人，跟随方士入海求仙药。而方士为了逃避秦朝的苛政暴虐，便留居海上不再回来，秦始皇却在海边久久徘徊等待他们，结果在返回的途中病死在了沙丘。汉武帝为了寻求神仙，竟将女儿嫁给卖弄道术的人，后来他们求见神仙没有灵验，汉武帝就把有道术的人诛杀了。从这两件事情来看，用不着花精力去寻求所谓的神仙。”

## 三

贞观四年，太宗曰：“隋炀帝性好猜防，专信邪道，大忌胡人[①]，乃至谓胡床[②]为交床，胡瓜为黄瓜，筑长城以避胡。终被宇文化及使令狐行达杀之。又诛戮李金才，及诸李殆尽，卒何所益？且君天下者，惟须正身修德而已，此外虚事，不足在怀。”

【注释】

①胡人：古人对北方边界及西域地区各民族人民的称呼。

②胡床：一种能折叠，有靠背的座椅。后文的交床与之同意。

【译文】

贞观四年（630），唐太宗说："隋炀帝生性多疑，好设防范，一味迷信邪门歪道，他相当忌讳胡人，以至于把胡床改称作交床，把胡瓜改称作黄瓜，还修筑长城以抵御胡人，最终还是被有胡人血统的宇文化及派遣令狐行达杀死了。此外，隋炀帝听信方士的邪说，认为李姓的人要篡权夺位，便诛杀了将军李金才，李氏家族也几乎被杀尽了，但这有什么用呢？统治天下的君主，只要修养品德、端正自身就可以了，其他都是虚浮荒诞之事，不值得放在心上。"

## 四

贞观七年，工部尚书段纶奏进巧人杨思齐至。太宗令试，纶遣造傀儡[①]戏具。太宗谓纶曰："所进巧匠，将供国事，卿令先造此物，是岂百工相戒无作奇巧之意耶？"乃诏削纶阶级，并禁断此戏。

【注释】

①傀儡：原指木偶，后比喻不能自主、受人操纵的人或组织。

【译文】

贞观七年（633），工部尚书段纶推荐的能工巧匠杨思齐入朝。唐太宗下令试一试杨思齐的技艺，段纶便让杨思齐做木偶戏的用具。唐太宗对段纶说："你所推荐的能工巧匠，必须服务于国事，你让他做木偶这些东西，这哪里是劝各行各业的工匠不许从事奇异技巧的意思呢？"于是下诏降低段纶的官阶等级，并且禁止演出木偶戏。

# 慎言语第二十二

## 一

贞观二年，太宗谓侍臣曰："朕每日坐朝，欲出一言，即思此一言于百姓有利益否，所以不敢多言。"

给事中兼知起居事杜正伦进曰："君举必书，言存左史。臣职当兼修起居注，不敢不尽愚直。陛下若一言乖于道理，则千载累[1]于圣德，非止当今损于百姓，愿陛下慎之。"

【注释】

①累：牵连，连累。

【译文】

贞观二年（628），唐太宗对身边的大臣们说："我每天坐朝理政，每讲一句话，都要想想这句话是否对百姓有益处，所以我不敢随便多说。"

给事中兼知起居注史官杜正伦进言说道："君主办什么事、讲什么话，都要被左史记录下来。我的职务就是兼修起居注，所以不敢不尽忠职守秉笔直书。陛下如果有一句话违背了常理，那么即使千年之后，也都会损害陛下的圣德，所以不仅是对当今的百姓有损害，希望陛下说话继续保持慎重。"

## 二

贞观八年，太宗谓侍臣曰："言语者君子之枢机[1]，谈何容易？凡在众庶，一言不善，则人记之，成其耻累。况是万乘之主，不可出言有所乖失。其所亏损至大，岂同匹夫？我常以此为戒。隋炀帝初幸甘泉宫，泉石称意，而怪无萤火，敕云：'捉取多少于宫中照夜。'所司遽遣数千人采拾，送五百舆于宫侧，小事尚尔，况其大乎？"

魏徵对曰："人君居四海之尊，若有亏失，古人以为如日月之蚀，人皆见之，实如陛下所戒慎。"

【注释】

①枢机：比喻事物的关键之处。

【译文】

贞观八年（634），唐太宗对身边的大臣们说："言语是君子德行的关键表现，要想说好谈何容易？一般的百姓，一句话讲得不好，就会被别人记住，因此成为他们的耻辱和累赘，更何况是君主，就更不能讲出不妥当的话来。因为这样做的损害是极大的，君主岂能和普通人相比？我常以此为戒。隋炀帝初次驾临甘泉宫的时候，秀丽的山水泉石让他感到称心如意，但他却责怪没有萤火虫，于是下令说：'捕捉一些萤火虫到宫里来，用于晚上照明。'主管官员马上派出几千人四处捕捉，送五百车萤火虫到甘泉宫两侧。小事尚且如此，更何况那些大事呢？"

魏徵回答说："国君位居四海之尊的高位，行为如果有所失误，古人认为就像日食和月食亏损那样，人人都能看得见，陛下的确应该这样警惕慎重。”

## 三

贞观十六年，太宗每与公卿言及古道，必诘难往复。

散骑常侍刘洎上书谏曰：“帝王之与凡庶、圣哲之与庸愚，上下相悬，拟伦[①]斯绝。是知以至愚而对至圣，以极卑而对极尊，徒思自强，不可得也。陛下降恩旨，假慈颜，凝旒[②]以听其言，虚襟[③]以纳其说，犹恐群下未敢对扬。况动神机，纵天辩，饰辞以折其理，援古以排其议，欲令凡庶何阶应答？臣闻皇天以无言为贵，圣人以不言为德，老子称‘大辩若讷’，庄生称‘至道无文’，此皆不欲烦也。是以齐侯读书，轮扁窃议[④]，汉皇慕古，长孺陈讥[⑤]，此亦不欲劳也。且多记则损心，多语则损气。心气内损，形神外劳，初虽不觉，后必为累。须为社稷自爱，岂为性好自伤乎？窃以今日升平，皆陛下力行所至。欲其长久，匪由辩博；但当忘彼爱憎，慎兹取舍，每事敦朴，无非至公[⑥]，若贞观之初则可矣。至如秦政强辩，失人心于自矜；魏文宏材，亏众望于虚说。此才辩之累，皎然可知。伏愿略兹雄辩，浩然养气，简彼缃图[⑦]，淡焉怡悦[⑧]。固万寿于南岳，齐百姓于东户，则天下幸甚，皇恩斯毕。”

太宗手诏答曰：“非虑无以临下，非言无以述虑。比有谈论，遂至烦多。轻物骄人，恐由兹道。形神心气，非此为劳。今闻谠言，虚怀以改。”

【注释】

①拟伦：伦比，比拟。

②凝旒（liú）：旒，古代帝王礼帽前后的玉串，这里形容帝王态度肃穆专注。

③虚襟：虚怀，虚心。

④窃议：批评。

⑤讥：指出。

⑥至公：最公正的原则。

⑦缃图：年久的书籍。

⑧怡悦：安适愉快。

## 【译文】

贞观十六年（642），唐太宗每次和各位公卿大臣讨论古代的治国之道时，一定要反复提问。

散骑常侍刘洎上书发表见解说："帝王和平民、圣哲和凡夫之间，上下相差悬殊，不能相提并论。因此，极其愚昧的人想要成为圣明贤能的人，极其卑下的人想要成为至尊之人，纵使想通过努力达到目标，也都是不可能做到的。陛下降下圣旨，和颜悦色，肃穆专注地听取臣下的言论，虚心接受他们的意见但还是担心臣下不敢直言对答。更何况陛下运用雄辩旁征博引，还文辞华丽地驳斥他人的说法，这叫一般的臣子如何应对呢？我听说苍天把不说话看作是尊贵，圣人把不说话看作是美德。老子认为'真正善辩的人像是言语迟钝一样'，庄子认为'最高的道理不需用文采修饰'，这都是不希望言语赘多的意思。所以齐桓公读书，轮扁私下非议，认为徒劳无用；汉武帝仰慕古风、尊崇儒学，汲黯提出了讥讽，说这是外表施行仁义而内心欲望过多，这都是不希望他们过度劳神。况且多记事就会损伤心神，多说话就会损伤元气。在内损伤心思、元气，在外损伤形体、精神，即使起初察觉不到，但一定会留下后患。应该为国家爱惜自己，怎么能为兴趣损伤自己呢？我认为如今天下太平，都是陛下精心治理的结果。想要它长久保持下去，不是靠雄辩博览能办到的；只能忘掉那些爱憎之情，谨慎进行现实的取舍，做每件事都要朴实无华，无不尊奉至公之道，像贞观初年一样就行了。至于秦始皇善于强辩，由于自傲而失去人心；魏文帝富有辩才，由于言语空洞浮夸而失去声望。这是口才和雄辩带来的损害，结局是非常清楚的。我竭诚希望陛下少和别人辩论，而要修养浩然正气；少看些年久的书籍，而要恬淡喜悦。保持自己像南山一样长寿，把国家治理得像东户时代一样，那么天下百姓就会特别幸运，皇恩也就遍及天下了。”

太宗亲笔写诏书批复说：“不思考就不能治理天下，不说话就不能阐述自己的想法。近来和臣子谈论过于频繁，恐怕因此产生轻视别人的骄傲态度。身体、精神、心思和元气确实不应该为此而劳损。如今听到你忠诚正直的劝言，我一定虚心接受并改正。”

# 杜谗邪第二十三

## 一

贞观初，太宗谓侍臣曰："朕观前代谗佞[1]之徒，皆国之蟊贼[2]也。或巧言令色，朋党比周。若暗主庸君，莫不以之迷惑，忠臣孝子所以泣血衔冤。故丛兰欲茂，秋风败之；王者欲明，谗人蔽之。此事著于史籍，不能具道。至如齐、隋间谗谮事，耳目所接者，略与公等言之。斛律明月[3]，齐朝良将，威震敌国，周家每岁斫汾河冰，虑齐兵之西渡。及明月被祖孝徵谗构伏诛，周人始有吞齐之意。高颎有经国大才，为隋文帝赞成霸业，知国政者二十余载，天下赖以安宁。文帝惟妇言是听，特令摈斥，及为炀帝所杀，刑政由是衰坏。又隋太子勇抚军监国，凡二十年间，固亦早有定分。杨素欺主罔上，贼害良善，使父子之道一朝灭于天性，逆乱之源，自此开矣。隋文既混淆嫡庶，竟祸及其身，社稷寻亦覆败。古人云'世乱则谗胜'，诚非妄言。朕每防微杜渐，用绝谗构之端，犹恐心力所不至，或不能觉悟。前史云：'猛兽处山林，藜藿[4]为之不采；直臣立朝廷，奸邪为之寝谋。'此实朕所望于群公也。"

魏徵曰："《礼》云：'戒慎乎其所不睹，恐惧乎其所不闻。'《诗》云：'恺悌君子，无信谗言。谗言罔极，交乱四国。'又孔子曰'恶利口之覆邦家'，盖为此也。臣尝观自古有国有家者，若曲受谗谮，妄害忠良，必宗庙丘墟，市朝霜露[5]矣。愿陛下深慎之！"

## 【注释】

①谗佞（nìng）：指进谗言的邪佞小人。

②蟊（máo）贼：两种吃禾苗的害虫，这里比喻危害国家的人。

③斛律明月：斛律，复姓。明月是字，名光。北齐朝兼行将相，善骑射，长期从事对北周的战争，为邻敌所惧。

④藜藿（lí huò）：指藜藿之类的野菜。

⑤市朝霜露：指人群聚集的闹市变得很冷清。

## 【译文】

贞观初年，唐太宗对身边的大臣们说：“我观察前代的历史，发现凡是阿谀逢迎的邪佞小人，都是危害国家的败类。他们巧言令色，结党营私。如果君主昏庸愚昧无能，就会被他们蒙蔽，这也是忠义之臣受到排挤打击、蒙受不白之冤的原因。所以兰花想要长得繁茂，秋风就会来摧折它；国君想要明察事理，献媚的小人就会来迷惑他。这些记载在史书中的事情不能一一说来。至于北齐和隋朝时期诽谤忠良的事，我是耳闻目睹的，可以简单地说给你们听听。斛律明月是北齐的良将，他的声威令敌国闻风丧胆。北周的人每年都要砸碎汾河上的冰，就是害怕齐朝的兵马西渡过来进攻。等到斛律明月被祖孝徵用谗言加害致死以后，北周的人才产生了吞并北齐的想法。隋代的高颎有治国的雄才大略，他辅佐隋文帝成就了帝业，参与朝政二十多年，天下靠他得以安宁。后来隋文帝听信妇人的谗言，特意摒弃冷落他，等到高颎被隋炀帝杀害之后，隋朝的法制政令也就开始衰败了。另外，隋太子杨勇指挥兵士，治理国家，前后达二十年之久，早已是确定了名分的储君。

但是，杨素欺骗君主，残害忠良，到处散布谣言，说太子没有才能，使他们父子之间的亲情一下子泯灭，隋朝灭亡的祸根也由此埋下。隋文帝混淆了嫡出与庶出的名分，结果殃及了自身，没多久国家也覆灭了。古人说：‘世道混乱时，谗言就会大行其道。’确实不是妄言。我常常防微杜渐，禁绝谗言的根源，仍然还担忧心有余而力不足，或者还有自己没能察觉的问题。前朝史书上说：‘猛兽在山林中出没，就没人敢去采摘藜藿之类的野菜；忠正的臣子处于朝廷之中，奸邪小人就会停止谋划他们的诡计。’这其实就是我对你们的期望。”

魏徵说：“《礼记》上说：‘对别人看不见的事情要谨慎，在别人听不见的地方也要警觉。’《诗经》上说：‘平易近人的君子，不听信谗言。谗言违背是非正义，会搅乱天下四方。’另外孔子说‘要厌恶那些邪恶善辩使国家覆灭的人’，大概就是针对这个问题说的。我发现，自古以来的帝王，如果听信谗言，枉杀忠良，就必定国破家亡，宗庙变成废墟，闹市变得冷清。因此，希望陛下对这件事要特别谨慎啊！”

## 二

贞观十年，太宗谓侍臣曰：“太子保傅，古难其选。成王幼小，以周、召为保傅，左右皆贤，足以长仁，致理太平，称为圣主。及秦之胡亥，始皇所爱，赵高作傅，教以刑法。及其篡也，诛功臣，杀亲戚，酷烈不已，旋踵亦亡。以此而言，人之善恶，诚由近习。朕弱冠①交游，惟柴绍、窦诞等，为人既非三益②，及朕居兹宝位，经理天下，虽不及尧、舜之明，庶免乎孙皓、高纬之暴。以此而言，复不由染，何也？”

魏徵曰：“中人[3]可与为善，可与为恶，然上智之人自无所染。陛下受命自天，平定寇乱，救万民之命，理致升平，岂绍、诞之徒能累圣德？但经云：‘放郑声[4]，远佞人。’近习之间，尤宜深慎。”

【注释】

①弱冠：指男子二十岁左右的年龄。

②三益：引自《论语》之词。指正直、诚信、博学多闻的三种朋友。

③中人：中等智慧的人。

④郑声：原指春秋战国时郑国的音乐，因其声淫，而受到儒家排斥。

【译文】

贞观十年，唐太宗对身边的大臣们说：“太子的老师，自古以来就很难选择。周成王年幼时，以周公、召公为老师，周围都是贤明的人，足以增长仁德使周成王成为一代仁君，天下也安宁太平。到了秦代的皇子胡亥，秦始皇很宠爱他，让赵高做他的师父，教授他严刑峻法。后来胡亥篡位成为皇帝，便诛杀功臣，残害亲戚，极其残暴，不久国家就败亡了。由此看来，一个人品行的善恶，的确与他所处的环境、所受的影响有关。我年轻时交往较深的名人义士只有柴绍、窦诞等人，他们算不上孔子所说的正直、诚信、博学多闻的三种益友，我继位治理国家以来，虽然不及尧、舜圣明，但也不像孙皓、高纬那样残暴昏庸。由此说来，人的品行又不受亲近的人熏染，这是为什么呢？”

魏徵回答说："智慧中等的人可能做善事，也可能做恶事，然而拥有上等智慧的人是不会受外界影响的。陛下顺应天意，平定战乱，救万民于水火之中，使天下太平，柴绍、窦诞这些人怎么能够损害陛下的圣德呢？但是经书上说：'拒绝郑国的靡靡之音，远离挑拨是非的奸邪小人。'在对待亲近的人方面，尤其应该特别谨慎。"

## 三

贞观中，太宗谓房玄龄、杜如晦曰："朕闻自古帝王上合天心，以致太平者，皆股肱[1]之力。朕比开直言之路者，庶知冤屈，欲闻谏诤。所有上封事人，多告讦[2]百官，细无可采。朕历选前王，但有君疑于臣，则下不能上达，欲求尽忠极虑，何可得哉？而无识之人，务行谗毁，交乱君臣，殊非益国。自今以后，有上书讦人小恶者，当以谗人之罪罪之。"

【注释】

①股肱（gǔ gōng）：股，大腿。肱，手臂从肘到肩的部分。比喻辅佐帝王的重臣或十分亲近且办事得力的人。

②讦（jié）：指揭发别人的隐私或攻击别人的短处。

【译文】

贞观年间，唐太宗对房玄龄、杜如晦说："我听说，自古以来的帝王能够顺合天意，使天下得以太平，都是大臣辅佐的功劳。我近来广开言路，就是为了听到大臣的规谏，了解百姓的冤屈。但现在，所有上书提意见的人，大多是揭发别人的隐私或攻击他人的短处，意见非常繁多琐碎，让人无法定夺。我一一列举前朝国君，只要君王怀疑臣下，那么下面的意见就不会传达到朝廷上面，想要臣民们竭虑尽忠，怎么可能实现呢？而无耻小人，专门从事诽谤诋毁，破坏君臣之间的关系，这对国家是非常不利的。从今以后，凡有人上书揭发别人的细小过失，我就会用诽谤诬陷之罪处罚他。”

# 悔过第二十四

## 一

贞观二年，太宗谓房玄龄曰：“为人大须学问。朕往为群凶未定，东西征讨，躬亲戎事[①]，不暇读书。比来四海安静，身处殿堂，不能自执书卷，使人读而听之。君臣父子，政教之道，共在书内。古人云：‘不学，墙面[②]，莅事惟烦。’不徒言也。却思少小时行事，大觉非也。”

【注释】

①躬亲戎事：指亲自参加征战。

②墙面：面对墙壁会目无所见，借此比喻不学无术或一无所知。

【译文】

贞观二年（628），唐太宗对房玄龄说：“做人非常需要学问。我以前因为群凶顽敌没有平定，东征西讨，亲自带兵打仗，没有空闲时间读书。近来四海安宁，我身为殿堂之上的君主，即使不能亲手拿起书卷阅读，也要叫人诵读给我听。君臣父子的伦理纲常、政治教化的种种道理，都写在书里了。古人说：‘不学习，就像面对着墙壁，头脑一片空白，遇到事情就没有能力解决。’这确实不是一句空话。我现在反思年轻时做的事情，觉得很多都做得不对。”

## 二

贞观中，太子承乾多不修法度，魏王泰尤以才能为太宗所重，特诏泰移居武德殿。

魏徵上疏谏曰："魏王既是陛下爱子，须使知定分，常保安全，每事抑其骄奢，不处嫌疑之地也。今移居此殿，使在东宫之西，海陵[①]昔居，时人以为不可。虽时移事异，犹恐人之多言。又王之本心，亦不宁息，既能以宠为惧，伏愿成人之美。"

太宗曰："我几不思量，甚大错误。"遂遣泰归于本第。

【注释】

①海陵：海陵王李元吉，唐太宗弟弟。

【译文】

贞观年间，太子李承乾常常不遵守法令制度，魏王李泰却因为出众的才华而深得唐太宗的器重，于是，唐太宗特意下诏让李泰搬到武德殿居住。

魏徵上书劝谏说："魏王既然是陛下的爱子，就应当让他知道自己的名分和地位，以保证自身的安全，遇事应该控制他骄傲奢侈的习气，不要让他处在招惹是非的位置上。现在让他搬到武德殿来居住，就在太子东宫的西边，过去海陵王住在那里，当时的人都认为不合适。虽说现在形势变了，情况不同，但还是要提防别人的议论。另外，魏王自己的内心也不会平静，因为受到宠爱而长期保持畏惧之心，希望陛下能成人之美。"

唐太宗说："我几乎没仔细考虑就这么做了，差点酿成大祸。”于是让李泰又搬回到原来的住所。

## 三

贞观十七年，太宗谓侍臣曰：“人情之至痛者，莫过乎丧亲也。故孔子云：‘三年之丧，天下之通丧，自天子达于庶人也。’又曰：‘何必高宗①？古之人皆然。’近代帝王，遂行不逮，汉文以日易月之制，甚乖②于礼典。朕昨见徐幹《中论·复三年丧》篇，义理甚精，恨不早见此书。所行大疏略，但知自咎自责，追悔何及！”因悲泣久之。

【注释】

①高宗：武丁，商代国君。

②乖：不一致，违背。

【译文】

贞观十七年（643），唐太宗对身边的大臣们说：“人的感情之中最让人哀痛的，莫过于失去父母亲人。所以孔子说：‘父母死后，服丧三年，是天下通行的礼制，从天子到平民都是这样。’他又说：‘难道仅仅是殷商高宗这样吗？古代的人都是这样做的。’可是，近代的帝王实行的丧期却不及古人，汉文帝以日代月的短期服丧礼仪，严重违背了古代礼义的典范。我昨天看到徐幹写的《中论·复三年丧》篇，觉得他论述的道理非常深刻，只可惜没有早些看到这本书。现在才发现，当年我所行的丧礼太简单了，但现在也只能责备自己，后悔已经来不及了。”说完，便因此而悲伤哭泣了很久。

## 四

贞观十八年，太宗谓侍臣曰："夫人臣之对帝王，多承意顺旨，甘言[1]取容。朕今欲闻己过，卿等皆可直言。"

散骑常侍刘洎对曰："陛下每与公卿论事，及有上书者，以其不称旨，或面加诘难，无不惭退[2]，恐非诱[3]进直言之道。"

太宗曰："朕亦悔有此问难，当即改之。"

## 【注释】

①甘言：甜蜜的语言。

②惭退：很难堪地退下去。

③诱：劝导。

## 【译文】

贞观十八年（644），唐太宗对身边的大臣们说："臣子对于帝王，大多是顺从他的旨意，说好听的话来取悦君主。现在我想听听自己的过失，你们尽管直言坦率地指出来。"

散骑常侍刘洎回答说："陛下每次和大臣们讨论国事，或看臣子呈上的奏疏，如果发现他们的意见不合己意，有时候就面露责备的神情，当面加以责难，结果提意见的大臣都面带惭色地退下去。我认为，这恐怕不是鼓励大臣们提意见的方法。"

唐太宗说："我也很后悔有过这样的追问责难，应当立即改正。"

# 奢纵第二十五

## 一

贞观十一年，侍御史马周上疏陈时政曰：

“臣历睹前代，自夏、殷、周及汉氏之有天下，传祚[①]相继，多者八百余年，少者犹四五百年，皆为积德累业，恩结于人心。岂无僻王[②]，赖前哲以免尔！自魏、晋以还，降及周、隋，多者不过五六十年，少者才二三十年而亡，良由创业之君不务广恩化，当时仅能自守，后无遗德可思。故传嗣之主政教少衰，一夫大呼而天下土崩矣。今陛下虽以大功定天下，而积德日浅，固当崇禹、汤、文、武之道，广施德化，使恩有余地，为子孙立万代之基。岂欲但令政教无失，以持当年而已！且自古明王圣主，虽因人设教，宽猛随时，而大要以节俭于身，恩加于人二者是务。故其下爱之如父母，仰之如日月，敬之如神明，畏之如雷霆，此其所以卜祚遐长[③]而祸乱不作也。”

【注释】

①传祚：祚，帝位。帝位一代一代相传。

②僻王：指邪僻昏庸的国君。

③卜祚遐长：遐，长远。古人认为帝位是上天赐予的，这里意为上天赐予帝位时间长久。

【译文】

贞观十一年（637），侍御史马周上疏，陈述当时的时政得失说：

“我通观前朝史书，发现从夏朝、殷商、周朝到汉代，朝代不断交接更替，帝位的传承，时间长的可以延续八百多年，短的也有四五百年，这些都是因为积善积德，他们的恩德深入了百姓的心中。难道其中没有出现过昏庸不正的昏君吗？只不过是依赖前朝贤君的教诲恩泽而免于灭亡祸乱罢了！可是从魏晋以来，到北周、隋朝的时候，朝代长的不过五六十年，短的只有二三十年就灭亡了，这都是因为创业的君主没有广施恩德，当时只想保住自己的帝位，没有给后人留下可以怀念的恩德。所以，只要继承王位者的政治教化稍有衰减，又恰好有人站出来趁机呼吁造反，国家很快就会土崩瓦解。现在，陛下虽然创下奇功，平定了天下，但是，积累德行的时间还不长，所以应当推崇大禹、商汤、文王、武王的治国理政之道，广泛施行道德教化，使恩德有余，为后世子孙的统治奠定稳固的基业。怎么可以只求当今的政治教化没有过失，保住现在的江山就行了！而且，自古帝王虽然都是因人设教，根据时局制定或宽或严的具体政策，但自身节俭、施恩百姓两个方面是历代政治最关键的内容。因此，百姓才会爱戴君王如同爱戴自己的父母一样，仰慕君王如同仰慕日月一样，尊敬君王如同尊敬神灵一样，畏惧君王如同畏惧雷霆一样。这就是帝位能够长久传承而动乱不发生的原因。”

## 二

臣窃寻往代以来成败之事，但有黎庶[1]怨叛，聚为盗贼，其国无不即灭。人主虽欲改悔，未有重能安全者。凡修政教，当修之于可修之时，若事变一起而后悔之，则无益也。故人主每见前代之亡，则知其政教之所由丧，而皆不知其身之有失。是以殷纣笑夏桀之亡，而幽、厉亦笑殷纣之灭。隋帝大业之初，又笑周、齐之失国。然今之视炀帝，亦犹炀帝之视周、齐也。故京房[2]谓汉元帝云："臣恐后之视今，亦犹今之视古。"此言不可不戒也。

【注释】

①黎庶：庶民，百姓。

②京房：西汉学者。

【译文】

我私下阅读前朝以来国家成败兴亡的历史事件，发现只要百姓心生怨恨，聚众做贼匪，国家没有不迅速灭亡的。君主即使想悔改，也没有能重新获得安定的。凡是想改进政治教化，应当在还能够改进的时候进行，如果一旦发生事变，后悔也来不及了。所以后代的君主看到前朝的灭亡，才发现其政治教化失败的原因，却完全不知道自己身上所存在的过失。所以，商纣王嘲笑夏桀的灭亡，而周幽王、周厉王又嘲笑商纣王的灭亡。隋代开国之时，隋炀帝又讥笑北周、北齐失掉江山。然而现在，我们也这样评价隋代，就像当初隋朝看待北周、北齐时一样。所以，京房对汉元帝说："我担忧后世人们看待现在，就像我们现在看古代一样。"这句话不能不引以为戒啊！

# 贪鄙第二十六

## 一

贞观初，太宗谓侍臣曰：“人有明珠，莫不贵重。若以弹雀，岂非可惜？况人之性命甚于明珠，见金钱财帛不惧刑网①，径即受纳②，乃是不惜性命。明珠是身外之物，尚不可弹雀，何况性命之重，乃以博财物耶？群臣若能备尽忠直，益国利人，则官爵立至。皆不能以此道求荣，遂妄受财物，赃贿③既露，其身亦殒，实可为笑。帝王亦然，恣情放逸，劳役无度，信任群小，疏远忠正，有一于此，岂不灭亡？隋炀帝奢侈自贤，身死匹夫之手，亦为可笑。”

【注释】

①不惧刑网：不害怕刑律法网。

②受纳：接受，这里指受贿。

③赃贿：赃物。

【译文】

贞观初年，唐太宗对身边的大臣们说：“人们手中有一颗明珠，没有不认为它宝贵的，如果拿去弹射鸟雀，难道不是很可惜吗？况且人的性命比明珠更为珍贵，见到金银钱帛就不惧怕法律的惩罚，立即接受贿赂，这就是不爱惜性命。明珠是身外之物，尚且不能拿去弹射鸟雀，何况是更加珍贵的性命，怎么能用它来换取财物呢？群臣如果能够竭尽忠诚和正直，有益于国家，有利于百姓，那么官职爵位立即就可以得到。如果大家都不用这种方法求取荣华富贵，随便收受财物，一旦赃物暴露，自身也将丧失生命，这确实是可笑的。帝王也是这样，如果任性放纵，过度地征用劳役，信任小人，疏远忠诚正直的人，只要犯有其中的一种过错，怎么能不灭亡？隋炀帝奢侈反而自认为贤能，最终死在一介匹夫手里，也是很可笑的。”

## 二

贞观二年，太宗谓侍臣曰：“朕尝谓贪人不解爱财也，至如内外官五品以上，禄秩优厚，一年所得，其数自多。若受人财贿，不过数万，一朝彰露，禄秩①削夺，此岂是解爱财物？规②小得而大失者也。昔公仪休③性嗜鱼，而不受人鱼，其鱼长存。且为主贪，必丧其国；为臣贪，必亡其身。《诗》云：‘大风有隧，贪人败类。’固非谬言也。昔秦惠王④欲伐蜀，不知其径，乃刻五石牛，置金其后。蜀人见之，以为牛能便金，蜀王使五丁力士拖牛入蜀，道成，秦师随而伐之，蜀国遂亡。汉大司农⑤田延年赃贿三千万，事觉自死。如此之流，何可胜记！朕今以蜀王为元龟⑥，卿等亦须以延年为覆辙也。”

【注释】

①禄秩：官吏的俸禄。

②规：贪求。

③公仪休：公仪，复姓。休，名。春秋时期鲁相。

④秦惠王：秦惠公。

⑤大司农：官名。汉武帝时置大司农，掌钱谷之事。

⑥元龟：警戒。

## 【译文】

贞观二年（628），唐太宗对身边的大臣们说："我曾经说过，贪婪的人不懂得如何爱惜财物，比如说当今内、外朝五品以上的官员，他们的官禄已经很优厚了，一年之内所得的财物，数目已经很多。如果接受别人的贿赂，也不过几万。然而，一旦丑行暴露，就会被革去官职和俸禄，这样做，哪里算得上是懂得爱惜钱财呢？他们是因小失大，得不偿失。从前，鲁国的丞相公仪休很喜欢吃鱼，但从不接受别人进献的鱼，因此他能够长久地吃到鱼。作为一国之君要是很贪婪，必定会使国家灭亡；作为臣子要是很贪婪，必定会丢掉自己的性命。《诗经》上写道：'大风因隧道而告成，贪财的人败坏同类。'这确实不是荒谬的话。过去，秦惠王要攻打蜀国，但不熟悉前往蜀国的道路，于是，他叫人刻了五头石牛，并把金子放在石牛身后。蜀国人看见了，以为石牛会拉出金子来。蜀王便叫五个大力士把石牛拖到蜀国去，由秦入蜀的道路就这样开辟出来了。于是，秦国大军尾随而至，灭掉了蜀国。汉代的大司农田延年接受贿赂三千万，事发后自杀身亡。这样的例子，怎么能数得过来！我现在以蜀王为警戒，你们也要把田延年当作前车之鉴。"

## 三

贞观四年，太宗谓公卿曰："朕终日孜孜，非但[1]忧怜百姓，亦欲使卿等长守富贵。天非不高，地非不厚，朕常兢兢业业，以畏天地。卿等若能小心奉法，常如朕畏天地，非但百姓安宁，自身常得欢乐。古人云：‘贤者多财损其志，愚者多财生其过。’此言可为深诫。若徇私贪浊，非止坏公法，损百姓，纵事未发闻，中心岂不常惧？恐惧既多，亦有因而致死。大丈夫岂得苟贪财物，以害及身命，使子孙每怀愧耻耶？卿等宜深思此言。”

【注释】

①但：仅，只。

【译文】

贞观四年（630），唐太宗对公卿大臣们说：“我整天都不敢懈怠，不仅仅是忧念爱惜百姓，也是想让你们能够长守富贵。天并不是不高，地并不是不厚，我常常兢兢业业，是因为十分敬畏天地。你们如果能小心谨慎奉公守法，经常像我敬畏天地那样，不但能够使百姓安宁，自己也可以常得快乐。古人说：‘如果贤德的人钱财多了，就会损害他们的志向；愚笨的人钱财多了，就会增加他们犯错的机会。’这话应该作为深刻的告诫。如果徇私贪污，不但是破坏了国法，伤害了百姓，即使事情没有败露，心中怎么能不常怀恐惧呢？恐惧多了，也有因此而导致死亡的。大丈夫岂能为了贪求财物，而害了自己的身家性命，使子孙后代为此蒙受羞耻呢？你们应当深刻地思考这些话。”

## 四

贞观十年，治书侍御史权万纪上言：“宣、饶二州诸山大有银坑，采之极是利益，每岁可得钱数百万贯。”

太宗曰：“朕贵为天子，是事无所少之。惟须纳嘉言，进善事，有益于百姓者。且国家剩得数百万贯钱，何如得一有才行人？不见卿推贤进善之事，又不能按举不法，震肃权豪[①]，惟道税鬻银坑以为利益！昔尧、舜抵璧于山林，投珠于渊谷，由是崇名美号，见称千载。后汉桓、灵二帝好利贱义[②]，为近代庸暗之主，卿遂欲将我比桓、灵耶？”

是日敕放令万纪还第[③]。

## 【注释】

①震肃权豪：震慑整肃豪门权贵。

②好利贱义：贪财求利而轻贱礼义。

③还第：削官为民。

## 【译文】

贞观十年（636），治书侍御史权万纪上疏说：“宣州、饶州的大山里埋藏有银矿，如果把它们开采出来，可获得极大的收益，每年可以获得银钱数百万贯。”

唐太宗说：“我贵为天子，金钱上一点也不缺乏，现在我需要的只是听取好的建议，推行善事，做有益于百姓的事情。况且国家多增加数百万贯钱财，怎么能比得上得到一个贤德的人才呢？我没有看见你推举贤能、表彰善事，也没有看见你审查检举违法的行为，震慑整肃豪门权贵，只是上奏卖银矿来获取利益！从前尧、舜把美玉扔进山林，把宝珠投进深渊，因此而赢得高尚的美名，从而流芳千古。后汉桓帝、汉灵帝贪财求利而轻贱礼义，是近世有名的昏庸国君，你这样做，是想让我与桓帝、灵帝相比吗？”

唐太宗当天就下令将权万纪削官为民了。

## 五

贞观十六年，太宗谓侍臣曰：“古人云：‘鸟栖于林，犹恐其不高，复巢于木末[①]；鱼藏于泉，犹恐其不深，复穴于窟下。然而为人所获者，皆由贪饵故也。’今人臣受任，居高位，食厚禄，当须履忠正，蹈公清，则无灾害，长守富贵矣。古人云：‘祸福无门，惟人所召。’然陷其身者，皆为贪冒财利，与夫鱼鸟何以异哉？卿等宜思此语为鉴诫。”

【注释】

①末：尖端，顶端。

【译文】

贞观十六年（642），唐太宗对身边的大臣们说：“古人说：‘飞鸟栖息于树林，唯恐树木不够高，所以筑巢于树木的顶端；鱼藏于水中，唯恐水不够深，所以穴居于水底的洞穴中。然而它们仍然被人们捕获，都是因为它们贪食诱饵。’现在大臣接受任命，居高位，食厚禄，应当做事忠诚正直，遵循清廉无私的原则，这样才能没有灾祸，长守富贵啊！古人说：‘祸福无定，由人自取。’那些以身试法的，都是因为贪图财利，这与那些鱼和鸟有什么不同呢？你们应当好好想想这些话，作为借鉴和告诫。”

# 崇儒学第二十七

## 一

太宗初践阼，即于正殿之左置弘文馆[1]，精选天下文儒，令以本官兼署学士，给以五品珍膳[2]，更日宿直，以听朝之隙，引入内殿，讨论《坟》《典》，商略政事，或至夜分乃罢。又诏勋贤三品以上子孙，为弘文学生。

**【注释】**

①弘文馆：唐武德四年（621）置修文馆于门下省。太宗即位后，改为弘文馆。掌校正典籍、教授学徒。

②珍膳：精美的膳食。

**【译文】**

唐太宗刚刚即位不久，就在正殿左侧修建了弘文馆，精心挑选天下通晓儒学的人士，保留他们现任的官职，并兼任弘文馆学士，供给他们五品官员才能享用的精美膳食，按日轮换在皇宫里值班。唐太宗在上朝听政的间隙，就把他们引进内殿，讨论古代典籍，商议谋划政事，有时到半夜才停歇。后来，他又下诏让三品以上的皇亲贵族、贤臣良将的子孙，做弘文馆的学生。

## 二

贞观二年，诏停以周公为先圣，始立孔子庙堂于国学，稽式[1]旧典，以仲尼为先圣，颜子为先师，两边俎豆干戚[2]之容，始备于兹矣。是岁大收天下儒士，赐帛给传，令诣京师，擢以不次，布在廊庙者甚众。学生通一大经以上，咸得署吏[3]。国学增筑学舍四百余间，国子、太学、四门、广文[4]亦增置生员，其书、算各置博士、学生，以备众艺。太宗又数幸国学，令祭酒、司业、博士[5]讲论，毕，各赐以束帛。四方儒生负书而至者，盖以千数。俄而吐蕃及高昌、高丽、新罗等诸夷酋长亦遣子弟请入于学。于是国学之内，鼓箧[6]升讲筵者，几至万人，儒学之兴，古昔未有也。

【注释】

①稽式：效法，取法。

②俎豆干戚：俎和豆是古代祭祀用的礼器，干和戚是用于祭祀的乐舞之具。

③署吏：进入仕途，开始为官。

④国子、太学、四门、广文：皆为当时的教学馆所。

⑤祭酒、司业、博士：国学的长官和教师名称。

⑥鼓箧（qiè）：据《礼记·学记》注，鼓箧意谓击鼓召集学士，令启箧（书箱）出书以授学。后指负箧求学。

【译文】

贞观二年（628），唐太宗下令停止尊崇周公为先圣，开始在国子监里建立奉祀孔子的庙堂，查考典籍并依照过去的规定，尊崇孔子为先圣，颜子为先师，在孔子庙堂里，供台两边祭祀用的俎豆、干戚等礼具和乐舞之具也开始齐备。这一年，唐太宗还广泛招揽天下的儒士，赏赐给他们布帛，供给车马食宿，让他们都集聚到京城来，破格授予他们大小不等的官职，因此在朝廷做官的儒士有很多。太学生中如果能读通大经中的一种，就可以入仕做官。在这之后，国子监增加了四百多间房舍，国子学、太学、四门学、广文馆也增加了学生的名额。另外，书学、算学也分别设置了博士和学生，使国学的各种科目都设置齐备了。唐太宗还几次亲临国子监，命祭酒、司业、博士讲说经术，讲完后每人赏赐五匹帛。儒学之盛，致使四面八方赶来求学的儒生数以千计。不久，吐蕃和高昌、高丽、新罗等族的首领，也派子弟到长安求学。于是，国子监之内，前来讲学和求学的人，几乎有上万人，如此大兴儒学，在古代还不曾有过。

## 三

贞观二年，太宗谓侍臣曰："为政之要，惟在得人，用非其才，必难致治。今所任用，必须以德行、学识为本。"

谏议大夫王珪曰："人臣若无学业，不能识前言往行，岂堪大任。汉昭帝①时，有人诈称卫太子②，聚观者数万人，众皆致惑。隽不疑③断以蒯聩④之事。昭帝曰：'公卿大臣，当用经术明于古义者，此则固非刀笔俗吏所可比拟。'"

上曰："信如卿言。"

【注释】

①汉昭帝：名弗陵，汉武帝的幼子。

②卫太子：名据，武帝太子，卫皇后所生。

③隽不疑：字曼倩，渤海人，昭帝时为京兆尹。

④蒯聩（kuǎi kuì）：春秋时卫灵公世子，逃亡国外。灵公死后，其孙辄继位，他要回国争夺帝位，辄拒而不纳。

【译文】

贞观二年（628），唐太宗对身边的大臣们说："治国的关键，在于选择合适的人才，如果用人不当，就必然难以治理好国家。如今，任用人才必须以德行、学识为本。"

谏议大夫王珪说："臣子如果没有学问，就不会了解前人的言行，怎能担当大任呢？汉昭帝时，有人冒充卫太子，围观的人达到好几万，当时在场的人都被迷惑了。后来，大臣隽不疑用古代蒯聩的故事辨清了那个人。对此，汉昭帝说：'公卿大臣，应当任用通晓经术、懂得古义的人，这本来不是普通官吏可以相比的。'"

唐太宗说："确实像你所说的那样。"

## 四

太宗尝谓中书令岑文本曰："夫人虽禀定性，必须博学以成其道，亦犹蜃性含水，待月光而水垂[①]；木性怀火，待燧动而焰发；人性含灵，待学成而为美。是以苏秦刺股[②]，董生[③]垂帷。不勤道艺，则其名不立。"

文本对曰："夫人性相近，情则迁移，必须以学饬情，以成其性。《礼》云：'玉不琢不成器，人不学不知道。'所以古人勤于学问，谓之懿德[④]。"

【注释】

①蜃（shèn）性含水，待月光而水垂：蜃，大蛤蜊。传说海上有月光时蜃吐气如楼阁之状。

②苏秦刺股：相传苏秦读书刻苦，欲睡时就用锥子刺自己的大腿。

③董生：董仲舒，西汉哲学家。

④懿德：美德。

## 【译文】

唐太宗曾对中书令岑文本说："人虽然秉有一定的天性，但必须博学才能有所成就，就好比大蛤蜊的本性含有水，但要见到月光才能吐出水；木的本性含有火，但要燧石敲打才能发出火花来；人的本性含有灵气，但要通过学习，才能显出美好的本质。所以历史上有苏秦刺股读书，董仲舒放下帷帐讲学的美谈。不勤奋于道艺，功名是不会树立的。"

岑文本回答说："人的本性都很相近，情趣却有所差别，必须用学习来修养情趣，使本性完善。《礼记》上说：'玉石不经雕琢就不会成为器具，人不学习就不会懂得道理。'所以古人都注重勤奋学习，并把它看作是一种美德。"

# 文史第二十八

## 一

贞观初，太宗谓监修国史房玄龄曰："比见前、后《汉史》载录扬雄[①]《甘泉》《羽猎》，司马相如[②]《子虚》《上林》，班固[③]《两都》等赋，此既文体浮华，无益劝诫，何假书之史策？其有上书论事，词理切直，可裨于政理者，朕从与不从皆须备载。"

【注释】

①扬雄：西汉辞赋家。

②司马相如：西汉辞赋家。

③班固：东汉史学家、文学家，善作赋。

【译文】

贞观初年，唐太宗对监修国史的官员房玄龄说："我发现《汉书》《后汉书》记录有扬雄的《甘泉赋》《羽猎赋》，司马相如的《子虚赋》《上林赋》，班固的《两都赋》等，这些文章文辞浮华，无益于对帝王的劝诫，为什么还要收录在史书上呢？今后，如果有人上书议政，只要言辞直率，道理中肯，有利于治国，不管我采纳与否，都必须要记载在史书上。"

## 二

贞观十一年，著作佐郎邓隆表请编次太宗文章为集。

太宗谓曰："朕若制事出令，有益于人者，史则书之，足为不朽。若事不师古，乱政害物，虽有词藻，终贻后代笑，非所须也。只如梁武帝父子及陈后主[①]、隋炀帝，亦大有文集，而所为多不法，宗社皆须臾倾覆。凡人主惟在德行，何必要事文章耶？"竟不许。

【注释】

①陈后主：陈叔宝，南朝陈的最后一个皇帝。

【译文】

贞观十一年（637），著作佐郎邓隆上疏请求把唐太宗的文章编成文集。唐太宗对他说："我的诏书和命令，如果有益于百姓，史书都已经记载了，足以流传千古了。如果我的命令不遵循古训，扰乱了政务，即使辞藻华丽，也终将被后人耻笑，这不是我所需要的。像梁武帝父子、陈后主、隋炀帝，他们都有文集传世，但是他们的所作所为大都不合法度，最后社稷江山在短时间内就统统断送在他们手中。君主圣明与否，关键在于他的品性和行为，何必一定要有文章流传后世呢？"唐太宗最终没有同意编文集的事。

## 三

贞观十三年，褚遂良为谏议大夫，兼知起居注。太宗问曰："卿比[①]知起居，书何等事？大抵[②]于人君得观见否？朕欲见此注记者，将却观所为得失以自警戒耳！"

遂良曰："今之起居，古之左、右史，以记人君言行，善恶毕书，庶几人主不为非法，不闻帝王躬自观史。”

太宗曰：“朕有不善，卿必记耶？”

遂良曰：“臣闻守道不如守官，臣职当载笔，何不书之？”

黄门侍郎刘洎进曰：“人君有过失，如日月之蚀，人皆见之。设令遂良不记，天下之人皆记之矣。”

【注释】

①比：最近。

②抵：到，到达。

【译文】

贞观十三年（639），褚遂良担任谏议大夫，兼任撰写帝王言行的起居注的史官。一次，唐太宗问他说：“你近来编写的起居注都记录了什么呢？可不可以让皇帝自己观看呢？我想看起居注的原因，是想回顾一下自己所作所为的得失成败，用来警诫自己。”

褚遂良说：“现在的起居注，就是古代记录帝王言语的左史，和记录帝王行为的右史，无论好坏全部记录下来，是期望帝王不要做对国家不利的事情，却没有听说过帝王自己要看关于自己的史书的。”

唐太宗说：“我有不好的言行，你也都会记录下来吗？”

褚遂良说：“我听说，坚守君臣道义不如忠于自己的职守，我的职责是记录历史，怎么可以不把一切都记录下来呢？”

黄门侍郎刘洎说：“帝王如果有过失，就像日月有日食、月食一样，人人都看得见。即使褚遂良不记录，天下老百姓也都会记住的。”

## 四

贞观十四年，太宗谓房玄龄曰："朕每观前代史书，彰善瘅恶[1]，足为将来规诫。不知自古当代国史，何因不令帝王亲见之？"

对曰："国史既善恶必书，庶几人主不为非法。止应畏有忤旨，故不得见也。"

太宗曰："朕意殊不同古人。今欲自看国史者，盖有善事，固不须论；若有不善，亦欲以为鉴诫，使得自修改耳。卿可撰录进来。"

玄龄等遂删略国史为编年体，撰高祖、太宗实录各二十卷，表上之。太宗见六月四日事[2]，语多微文[3]，乃谓玄龄曰："昔周公诛管、蔡而周室安，季友鸩叔牙[4]而鲁国宁，朕之所为，义同此类，盖所以安社稷，利万民耳。史官执笔，何烦有隐？宜即改削浮词，直书其事。"

侍中魏徵奏曰："臣闻人主位居尊极，无所忌惮。惟有国史，用为惩恶劝善，书不以实，后嗣何观？陛下今遣史官正其辞，雅合至公之道。"

【注释】

①彰善瘅（dàn）恶：表彰美善，指斥丑恶。

②六月四日事：玄武门之变。

③微文：委婉隐晦的文辞。

④季友鸩叔牙：春秋时鲁庄公有三个弟弟，长者庆父，次者叔牙，再次季友。庄公打算选儿子继位，叔牙极力劝说让庆父嗣位，季友奉庄公之命，让人用毒酒将叔牙杀死。

【译文】

贞观十四年（640），唐太宗对房玄龄说：“我每次阅读前朝的史书时，总可以看到一些惩恶扬善的内容，足以规劝警戒后人。但我不知道，自古以来当朝的国史，为什么不让帝王看到呢？”

房玄龄回答说：“国史的记载既然善恶必书，是希望可以警戒帝王不去做非法的事情。只是担心有些记载与君主意见相抵触，所以不让君主亲自看到。”

唐太宗说：“我的想法和古人有很大的不同。我现在想亲自看国史的原因是，如果记有好事，自不必说；如果记有不好的事，我可以引以为戒，加以改正。你可以把撰写抄录好的国史送过来。”

于是，房玄龄等人就把国史加以删减整理，成为按照年月顺序记事的编年体，撰写成高祖和太宗的《实录》各二十卷，上表呈献。唐太宗看到六月四日所记玄武门之变说得很含蓄，就对房玄龄说：“从前周公东征诛杀管叔、蔡叔，从而使周室得以安定，季友用毒药杀死叔牙，而使鲁国得以安宁。我的所作所为，和古人的道理相同，都是为了安定社稷，以利万民。史官执笔，何须隐晦？你们应当立即改删虚饰之词，把这件事的原委写清楚。”

事后，侍中魏徵上奏说：“我听说，君主身居至尊之位，无所顾忌和惧怕，只有国史，足以惩恶劝善，如果写得不真实，那么让后世看什么呢？陛下如今命令史官改正文辞，很符合公正无私的道理。”

# 礼乐第二十九

## 一

太宗初即位，谓侍臣曰："准《礼》，名，终将讳之。前古帝王，亦不生讳其名①，故周文王名'昌'，《周诗》云：'克昌厥后。'春秋时鲁庄公名'同'，十六年《经》书：'齐侯、宋公同盟于幽。'唯近代诸帝，妄为节制，特令生避其讳，理非通允②，宜有改张。"

因诏曰："依《礼》，二名义不偏讳，尼父达圣，非无前指。近世以来，曲为节制，两字兼避，废阙已多，率意而行，有违经语。今宜依据礼典，务从简约，仰效先哲③，垂法将来，其官号人名及公私文籍，有'世'及'民'两字不连读，并不须避。"

【注释】

①生讳其名：活着的时候就避讳其名字。

②通允：通达妥当。

③先哲：先代圣哲。

【译文】

唐太宗即位之初，曾对身边的大臣们说："根据《周礼》的规定，帝王的名字，都要避讳。可是古代的帝王，生前并不避讳这些，周文王名叫'昌'，但《周诗》中写了'攻克姬昌之后'这样的诗句。春秋时，鲁庄公名叫

'同'，庄公十六年《春秋经》上有这样的字句：'齐侯、宋公在幽地结为同盟。'只是到了后来，帝王们才制造出许多禁忌来，他们特意下令，生前就要对帝王的名字进行避讳，我认为这样做很没有道理，应该有所改变。"

于是下诏说："按照《礼记》，人名是两个字的，只要不是两个字连着出现，就不要避讳。孔子是通达事理的圣人，以前不是没有指出过这种事。近世以来，世人多加禁忌，才出现很多避讳，废除和空缺的字因此很多，这样轻率任意地做，有违经典的训示。现在应该遵循经典，从简约出发，效仿先代圣哲，规范后世。官员的称谓、姓名以及公私的文章书籍中，只要'世'和'民'两个字不连读，就没有必要避讳。"

## 二

贞观二年，中书舍人高季辅上疏曰："窃见密王元晓①等俱是懿亲，陛下友爱之怀，义高古昔，分以车服，委以藩维，须依礼仪，以副瞻望②。比见帝子拜诸叔，诸叔亦即答拜，王爵既同，家人有礼，岂合如此颠倒昭穆③？伏愿一垂训诫，永循彝则④。"太宗乃诏元晓等，不得答吴王恪、魏王泰兄弟拜。

【注释】

①元晓：高祖第二十一子。

②瞻望：仰望。

③昭穆：古时宗庙牌位按辈次排列，左为昭，右为穆。这里指辈分。

④彝（yí）则：古时指人与人之间的伦理道德关系。

【译文】

贞观二年（628），中书舍人高季辅上奏说：“我私下看到，密王李元晓等人都是皇亲国戚，陛下对他们的友好关爱之心，都超过古代的帝王。陛下赐给他们车马冠服，委任给他们藩维的重任，所以他们做事必须遵循礼仪规范，让天下人臣服。近来我看见皇子们向叔辈施礼下拜时，叔辈们也马上回礼。王爵虽然相同，但一个家庭有一个家庭的礼数，帝王之家也如此，岂能如此颠倒家族的辈分呢？希望陛下加以教诲和训诫，永远遵循前人美好的礼仪。”唐太宗于是下诏李元晓等人，对吴王李恪、魏王李泰兄弟不用回拜答礼。

## 三

贞观十二年，太宗谓侍臣曰：“古者诸侯入朝，有汤沐之邑[①]，刍禾[②]百车，待以客礼。昼坐正殿，夜设庭燎[③]，思与相见，问其劳苦。又汉家京城，亦为诸郡立邸舍。顷闻考使至京者，皆赁房以坐，与商人杂居，才得容身而已。既待礼之不足，必是人多怨叹，岂肯竭情于共理哉！”乃令就京城闲坊，为诸州考使各造邸第。及成，太宗亲幸观焉。

【注释】

①汤沐之邑：住宿和沐浴斋戒的地方。

②刍禾：喂牛、马的草料。

③庭燎：古代庭中照明的火炬。

【译文】

贞观十二年（638），唐太宗对身边的大臣们说："古时候，诸侯入朝拜谒天子，有专门住宿和沐浴的地方，有一百车草料喂养马匹，用招待客人的礼仪接待他们。白天天子在正殿里端坐，晚上在庭院中点燃火炬，考虑到方便与他们相见，向他们嘘寒问暖。另外，汉朝时，京城里还有为各个郡县专门设立的馆舍。现在，我听说各地使者到京城，都是租赁房屋居住，他们和商人杂居在一起，仅能容身而已。如今待客之礼如此怠慢，恐怕各地使者会产生怨恨，怎么还会愿意为朝廷尽职尽忠呢？"于是，下令京城有条件的客栈，为各地来的使者营造馆舍。馆舍修成之后，唐太宗还亲自前去参观视察。

## 四

贞观十三年，礼部尚书王珪奏言："准令，三品以上遇亲王于路，不合下马。今皆违法申敬，有乖朝典[①]。"

太宗曰："卿辈欲自崇贵，卑我儿子耶？"

魏徵对曰："汉、魏已来，亲王班[②]皆次三公下。今三品并天子六尚书九卿[③]，为王下马，王所不宜当也。求诸故事[④]，则无可凭，行之于今，又乖国宪，理诚不可。"

帝曰："国家立太子者，拟以为君。人之修短，不在老幼。设无太子，则母弟次立。以此而言，安得轻我子耶？"

徵又曰："殷人尚质[⑤]，有兄终弟及之义。自周已降，立嫡必长，所以绝庶孽[⑥]之窥窬，塞祸乱之源本。为国家者，所宜深慎。”

太宗遂可王珪之奏。

## 【注释】

①有乖朝典：有违于当朝典制。

②班：排列，次序。

③九卿：太常寺、光禄寺、卫尉寺、宗正寺、太仆寺、大理寺、鸿胪寺、司农寺、太府寺。

④故事：旧例。

⑤尚质：崇尚诚信，重视实际。

⑥庶孽：旧时指妃妾所生的儿子。

## 【译文】

贞观十三年（639），礼部尚书王珪上奏说：“按照律令，三品以上的官员，在道路上遇到亲王时，可以不下马行礼。不过现在，官员都违反法令下马表示恭敬，这实在与朝廷律令不符。”

唐太宗说：“你们想自己尊贵，而贬低我的儿子们吗？”

魏徵回答：“汉代、魏晋以来，亲王的排序都低于三公。然而，现在的三品官员和天子的六尚书、九卿，都要为亲王下马致礼，这是亲王所不应该接受的礼节。这样做既无先例可循，又违背国家的法令制度，实在不合礼节。”

唐太宗说：“国家设立的太子，是未来的国君。一个人地位的高低、身份的贵贱，不在于年龄的长幼。如果太子去世，那么同母的弟弟就该依次立为太子。根据这个来说，你们怎么能轻视我的儿子呢？”

魏徵又说：“商朝人注重实际，有兄长去世，弟弟继承的规定。但自从周朝以来，都立嫡长子为继承人，这样做就杜绝了庶子意图篡权夺位、制造混乱的可能性。国君对此应该审慎。”

于是，唐太宗接受了王珪的意见。

## 五

贞观十七年十二月癸丑[①]，太宗谓侍臣曰：“今日是朕生日，俗间以生日可为喜乐，在朕情翻成感思。君临天下，富有四海，而追求侍养，永不可得。仲由怀负米之恨[②]，良有以也。况《诗》云：‘哀哀父母，生我劬劳。’奈何以劬劳之辰，遂为宴乐之事！甚是乖于礼度。”因而泣下久之。

【注释】

①癸丑：唐太宗生日。

②仲由怀负米之恨：仲由，孔子的弟子子路，子路孝待父母，自己常吃野菜，而背米送给父母。父母死后，子路富有了，常怀悲叹。

【译文】

贞观十七年（643），十二月癸丑日，唐太宗对身边的大臣们说：“今天是我的生日，民间认为生日是可以用来庆祝的，但我却感慨万千。当了国君统治天下，富有四海，可是想奉养父母，却永远无法做到。子路怀有不能为父母背米的遗恨，实在有道理。况且《诗经》上说：‘可怜我的父母，为养育我付出了多少艰辛啊。’怎么可以在父母生我这样艰难的日子，举办宴会寻欢作乐呢？这实在是与礼仪相违背。”说完，便情不自禁地哭泣了许久。

# 务农第三十

## 一

贞观二年，太宗谓侍臣曰："凡事皆须务本。国以人为本，人以衣食为本，凡营衣食，以不失时为本。夫不失时者，在人君简静[①]乃可致耳。若兵戈屡动，土木不息，而欲不夺农时，其可得乎？"

王珪曰："昔秦皇、汉武，外则穷极兵戈，内则崇侈宫室，人力既竭，祸难遂兴。彼岂不欲安人乎？失所以安人之道也。亡隋之辙，殷鉴不远，陛下亲承其弊，知所以易之。然在初则易，终之实难。伏愿慎终如始，方尽其美。"

太宗曰："公言是也。夫安人宁国，惟在于君。君无为则人乐，君多欲则人苦。朕所以抑情损欲，克己自励耳。"

【注释】

①简静：谓施政不繁苛。

【译文】

贞观二年（628），唐太宗对身边的大臣们说："处理任何事情都必须从根源入手。国家以人民为根本，人民以衣食为根本，经营农桑衣食，以不错失农时为根本。要不耽误农时，在于国君不要施政繁苛。假若连年打仗，土木营建不停，而又想不占用农时，哪里能办得到呢？”

大臣王珪说：“从前，秦始皇、汉武帝，对外不断发动战争，对内大肆营建宫殿，等到人力用尽了，灾祸也就发生了。他们难道就不想让百姓安居乐业吗？他们只是失去了能安定百姓的正确方法。隋代灭亡的教训距今不远，陛下亲自承受了隋朝遗留下来的弊病，懂得怎样去改变。不过刚开始还比较容易做到，要坚持到底就很难了。但愿陛下自始至终都能小心谨慎，才能达到最完善的境界。”

唐太宗说：“你讲得很对。使人民安居乐业，国家安定，关键在于君主。君主能无为而治，百姓就能安乐；君主贪得无厌，百姓就会痛苦。所以我不敢任情纵欲，而是不断克制并自我勉励。”

## 二

贞观二年，京师旱，蝗虫大起。太宗入苑视禾，见蝗虫，掇[①]数枚而咒曰：“人以谷为命，而汝食之，是害于百姓。百姓有过，在予一人，尔其有灵，但当蚀我心，无害百姓。”

将吞之，左右遽谏曰：“恐成疾，不可。”

太宗曰：“所冀移灾朕躬，何疾之避！”遂吞之。自是蝗不复为灾。

### 【注释】

①掇（duō）：拾取。

### 【译文】

贞观二年（628），京城大旱，蝗虫成灾。唐太宗亲自到皇家苑囿去视察禾苗长势，看见蝗虫猖獗，就抓起了几只并祷告说："百姓视稻谷为生命，你们却把稻谷吃了，这是在危害百姓。如果老百姓有过错，那么责任也只在于我一个人，你们如果真有灵性，就应当只啃噬我的心，不要伤害百姓。"

祷告完毕就要把蝗虫吃掉，左右的臣子大惊，连忙劝阻说："吃了恐怕要生病，万万不能吃。"

唐太宗说："我只希望把灾祸转移到我身上，还怕什么疾病呢？"说完便一口将蝗虫吞下。从此，蝗虫就不再成灾。

## 三

贞观五年，有司上书言："皇太子将行冠礼①，宜用二月为吉，请追兵②以备仪注③。"

太宗曰："今东作④方兴，恐妨农事。"令改用十月。

太子少保萧瑀奏言："准阴阳家，用二月为胜。"

太宗曰："阴阳拘忌，朕所不行。若动静必依阴阳，不顾理义，欲求福佑，其可得乎？若所行皆遵正道，自然常与吉会。且吉凶在人，岂假阴阳拘忌？农时甚要，不可暂失。"

【注释】

①冠礼：古代男子成年时（二十岁）加冠的礼节。

②追兵：增调、增补兵卒。

③仪注：典礼仪式。

④东作：指农事。

【译文】

贞观五年（631），主管大臣上书说："皇太子的加冠礼即将举行，在二月里举行才吉祥，请陛下增补兵卒以供各项礼仪之需。"

唐太宗说："如今百姓春耕刚开始，这样做怕要妨碍农事。"于是下令将礼仪改在十月。

太子少保萧瑀上奏说："按照阴阳家的推算，在二月里举行最好。"

唐太宗说："阴阳禁忌，我从不相信。如果一举一动都必须依照阴阳禁忌去办，而不考虑天理道义，想求得福佑吉祥，怎么可能呢？如果所作所为都遵守正义道德，自然会万事吉祥。况且吉凶取决于人，怎么能依靠阴阳禁忌来决定呢？农时非常重要，不能耽误片刻。"

## 四

贞观十六年，太宗以天下粟价率计斗值五钱，其尤贱处，计斗值三钱，因谓侍臣曰："国以民为本，人以食为命。若禾黍不登[①]，则兆庶[②]非国家所有。既属丰稔若斯，朕为亿兆人父母，唯欲躬务俭约，必不辄为奢侈。朕常欲赐天下之人，皆使富贵。今省徭赋，不夺其时，使比屋之人恣其耕稼，此则富矣。敦行礼让，使乡闾之间，少敬长，妻敬夫，此则贵矣。但令天下皆然，朕不听管弦，不从畋猎，乐在其中矣！"

【注释】

①登：庄稼成熟，这里指丰收。

②兆庶：兆，古代以百万或万亿为兆，常用来表示多。庶，平民百姓。

## 【译文】

贞观十六年（642），唐太宗因为全国大多数地方粮价大都每斗值五个钱，最便宜的每斗只值三个钱，于是对身边的大臣说："国家以人民为根本，人民又以粮食为生命。如果粮食不丰收，那么亿万百姓就不再为国家所有了。如今粮食如此丰裕，我作为亿万百姓的衣食父母，只希望以身作则，能够克勤克俭，不奢侈浮华，造福于民。我常常想赏赐天下百姓以恩惠，使他们都富裕起来。现在我减少赋役，不占用他们农耕的时间，使他们能够顺应天时，家家户户都能把庄稼种好，这样他们就会富裕了。我还重视推行礼仪谦让的风气，让乡间的百姓，年轻的尊敬年长的，妻子尊敬丈夫，这样百姓也就能尊贵了。只要天下都能这样，我即使不听音乐、不打猎，也乐在其中了。"

# 刑法第三十一

## 一

贞观元年，太宗谓侍臣曰："死者不可再生，用法务在宽简。古人云，鬻棺者欲岁之疫，非疾于人，利于棺售故耳。今法司核理①一狱，必求深刻，欲成其考课②。今作何法，得使平允？"

谏议大夫王珪进曰："但选公直良善人，断狱允当者，增秩赐金，即奸伪自息。"诏从之。

太宗又曰："古者断狱，必讯于三槐、九棘之官，今三公、九卿即其职也。自今以后，大辟③罪皆令中书、门下四品以上及尚书九卿议之，如此，庶免冤滥。"由是至四年，断死刑，天下二十九人，几致刑措。

【注释】

①核理：审理。

②考课：按一定的标准对官吏的政绩进行考核，以决定其升降赏罚。

③大辟：古代杀头的死刑。

【译文】

贞观元年（627），唐太宗对身边的大臣们说："人死了就不会再复活过来，所以执法务必要宽大简约。古人常说，卖棺木的人希望年年发生瘟疫，并不是对其他人有仇恨，而是因为发生瘟疫有利于棺木出售罢了。如今执法部门审理每一件狱案，总是力求苛严，以此博得好的考核成绩。现在有什么办法，能让执法部门办案做到公平恰当呢？”

谏议大夫王珪进言道：“只管选拔公正善良的人才，判案公平准确的人，增加他们的俸禄，赏赐他们金帛，那么奸伪邪恶现象自然会杜绝。”唐太宗于是下诏按这个办法执行。

唐太宗又说：“古时候断理狱案，必定要询问三槐、九棘这些官员，如今三公、九卿的职责与此相同。从今以后，如有杀头的死刑，都要让中书、门下两省四品以上高官以及尚书、九卿等官员同时做决断，这样做才有可能避免滥用刑法和出现冤假错案。”从这时起到贞观四年（630），被判处死刑的全国只有二十九个人，刑罚几乎到了搁置不用的地步。

## 二

蕴古，初以贞观二年自幽州总管府记室兼直中书省，表上《大宝箴》[①]，文义甚美，可为规诫。其词曰：

“今来古往，俯察仰观；惟辟[②]作福，为君实难。宅普天之下，处王公之上；任土贡其所有，具僚和其所唱。是故恐惧之心日弛，邪僻之情转放。岂知事起乎所忽，祸生乎无妄[③]。故以圣人受命，拯溺亨屯[④]；归罪于己，推恩于民，大明无偏照，至公无私亲；故以一人治天下，不以天下奉一人。礼以禁其奢，乐以防其佚。左言而右事，出警而入跸。四时调其惨舒，三光同其得失。故身为之度，而声为之律。勿谓无知，居高听卑；勿谓何害，积小成大。乐不可极，极乐成哀；欲不可纵，纵欲成灾。壮九重于内，所居不过容膝；彼昏不知，瑶其台而琼其室。罗八珍于前，所食不过适口；惟狂罔念，丘其糟而池其酒。勿内荒于色，勿外荒于禽；勿贵难得之货，勿听亡国之音。内荒伐人性，外荒荡人心；难得之物侈，亡国之声淫。勿谓我尊而傲贤侮士，勿谓我智而拒谏矜己。闻之夏后⑤，据馈频起⑥；亦有魏帝，牵裾⑦不止。安彼反侧，如春阳秋露；巍巍荡荡，推汉高大度。抚兹庶事，如履薄临深；战战栗栗，用周文小心。”

【注释】

①《大宝箴（zhēn）》：《周易·系辞下》说：“天地之大德曰‘生’，圣人之大宝曰‘位’。”后通常以“大宝”指帝位。箴，一种用以规谏劝诫的文体。

②辟：指君主。

③无妄：意外。

④亨屯：解救困厄，使困苦的人通达。

⑤夏后：夏禹。

⑥据馈频起：指吃一次饭要频繁站起好几次，形容事务繁忙。

⑦牵裾：拉着衣襟。借指直言极谏。

【译文】

张蕴古，当初在贞观二年（628）任幽州总管府记室兼任中书省的职务，他向唐太宗呈奏了《大宝箴》一文，文章内容和道理都很深刻，是一篇规谏劝诫君王的好文章。其内容如下：

“古往今来，多方仔细观察；只有君主专擅赏罚，但做君主也确实不易。居普天之下，处王公之上；根据土地的具体情况有权要求贡献其所有，满朝文武百官同声附和国君的旨意。所以谨慎恐惧之心越来越松弛，邪恶不正的情欲越来越放纵。哪里知道事变总在人们疏忽的时候发生，灾祸总在意料之外发生。本来帝王承受天命，就是要拯救天下苍生，解救万民于水火，使处于危难的人能够亨通；过错归罪于自己，恩德赐予百姓，光明的太阳不会偏照，大公无私的人不会私亲；所以君主以一己之躯治理天下，而不是以天下百姓侍奉一人。使用礼制来防止其奢靡，制定音乐防止其放荡。左史记录君主的言论，右史记录君王的行为，外出时要肃清道路戒备，回宫时禁止路人通行。春夏秋冬而调整其心情，日月星辰检查其得失。所以自己的言行就是国家法度，声音就是法则规章。不能官员不说就不知道，身居高位要能倾听百姓的声音；更不能掉以轻心，让许多小的问题变成难以挽回的祸害。享乐不能过度，过度则转喜为悲；欲望不能放纵，放纵则成为祸害。在宫内大肆营造九重宫殿，所居住的地方不过是很小的一部分；那些昏庸无能的君王不明白这样的道理，竟用黄金美玉修筑亭台楼阁。面前陈列着山珍海味，所吃的不过是适合口味的一小部分；而一味放纵没有节制的昏君，过着丘糟池酒的荒淫生活。在皇宫内不要只沉溺于女色，在皇宫外不要只知道打猎；不要只重视奇珍异宝，不要听使人堕落的音乐。在内沉迷女色会戕害人性健康，在外沉迷狩猎会扰乱人心；贪图稀有财宝是奢侈，迷恋亡国的音乐为淫靡。不要认为君王就要比别人尊贵，轻视有才能的人；不要认为自己聪明就拒绝忠言规谏，自傲自矜。听说夏禹在吃饭时，还要不停处理政事；还听说魏文帝被谏臣拉扯着衣袖不放，而最终采纳了谏言。安定那些不顺从的人，要像春天的阳光和秋天的露水那样温和；胸怀宽广，要像汉高祖那样宽宏大度。处理政事，要像脚踏薄冰、面临深渊那样谨慎；战战兢兢，需要像周文王那样谨慎小心。”

## 三

“夫守之则易，取之实难。既能得其所以难，岂不能保其所以易？其或保之不固，则骄奢淫泆动之也。慎终如始，可不勉欤！《易》曰：‘君子安不忘危，存不忘亡，治不忘乱，是以身安而国家可保也。’诚哉斯言，不可以不深察也。伏惟陛下欲善之志，不减于昔时，闻过必改，少亏于曩日。若以当今之无事，行畴昔[①]之恭俭，则尽善尽美矣，固无得而称焉。”

太宗深嘉而纳用。

【注释】

①畴昔：往昔，从前。

【译文】

“帝王守住国家社稷容易，取得国家社稷艰难。既然能取得艰难的，难道还不能守住容易的？如果有人不能保住社稷，那一定是骄奢淫逸的缘故。要像开始时那样谨慎直到最后，怎么能不时刻努力呢！《周易》上说：‘君子在安逸时不忘记危险，在存在时不忘记灭亡，在太平时不忘记动乱，这样就能自身平安，国家也就可以长治久安了。’这句话很对，不可以不去深刻反思。陛下向往美善的志向，与当前相比没有减少，但知道过错马上改正的作风，却有点不如从前了。如果在现在天下太平的情况下，还像从前谦恭节俭，那就尽善尽美了，就没有什么人能和陛下相匹敌了。”

唐太宗皇帝很赞赏这番话，并采纳了这些意见。

## 四

贞观十六年，太宗谓大理卿孙伏伽曰：“夫作甲者欲其坚，恐人之伤；作箭者欲其锐，恐人不伤。何则？各有司存[①]，利在称职故也。朕常问法官刑罚轻重，每称法网宽于往代。仍恐主狱之司利在杀人，危人自达，以钓声价。今之所忧，正在此耳！深宜禁止，务在宽平。”

### 【注释】

①司存：职责。

### 【译文】

贞观十六年（642），唐太宗对大理卿孙伏伽说：“那些制作铠甲的人希望铠甲坚固，担心人受伤；制作弓箭的人希望箭头锋利，唯恐人不受伤。为什么呢？这是因为他们都各自有各自的职责，都希望自己在位做得称职。我曾经询问过执法部门刑罚的轻重情况，他们都说刑罚比过去朝代宽大。但我仍然害怕主管断案的官员为了自己的利益而滥施杀刑，危害别人使自己显达，提高自己的声名身价。如今我所担心的，就是这件事！应该严加禁止，执法务必宽大公平。”

# 赦令第三十二

## 一

贞观七年，太宗谓侍臣曰："天下愚人者多，智人者少。智者不肯为恶，愚人好犯宪章。凡赦宥[1]之恩，惟及不轨之辈。古语云：'小人之幸，君子之不幸。''一岁再赦，善人喑哑。'凡养稂莠[2]者伤禾稼，惠奸宄[3]者贼良人。昔'文王作罚，刑兹无赦'。又蜀先主尝谓诸葛亮曰：'吾周旋陈元方、郑康成之间，每见启告理乱之道备矣，曾不语赦。'故诸葛亮治蜀十年不赦，而蜀大化。梁武帝每年数赦，卒至倾败。夫谋小仁者，大仁之贼，故我有天下以来，绝不放赦。今四海安宁，礼义兴行，非常之恩，弥不可数。将恐愚人常冀侥幸，惟欲犯法，不能改过。"

【注释】

①赦宥：赦免，宽恕。

②稂莠（láng yǒu）：稂和莠，都是形状像禾苗而妨害禾苗生长的杂草。文中指坏人。

③奸宄（guǐ）：指违法作乱的人。

【译文】

贞观七年（633），唐太宗对身边的大臣们说："天下愚昧无知的人多，聪明智慧的人少。聪明的人不会做坏事，无知的人却屡屡触犯法律。大凡国家赦免宽宥的恩典，涉及的常是那些不轨之徒。古话说：'小人的幸运，就是君子的不幸。’‘一年之内几次颁布大赦令赦免那些罪人，好人就沉默不语不想再发表意见了。’凡是长着稂莠杂草的地方，就会伤害到田中的禾苗，将恩惠施予违法奸邪的人，就会伤害善良的人。从前，‘周文王制定刑罚，对触犯刑罚的人一概不轻易赦免’。还有蜀先主刘备曾对诸葛亮说：‘我经常和陈元方、郑康成交际往来，常听到他们谈论治乱之道，他们已经讲得很齐全了，但从来不曾听到有什么赦令。’因此，诸葛亮治理蜀国的十年中从不实行大赦，而蜀国却得到大治。梁武帝每年都大赦好几次，最终却导致倾覆败亡。这种施展小恩惠的做法，实际上是对大仁义的损害，所以我自从统治天下以来，绝不发布赦令。现在四海安宁，礼义盛行，特殊的恩典多得数不胜数。我只怕赦免宽宥会使无知的人产生侥幸之心，只想犯法遇赦，而不去改正过错。”

## 二

贞观十年，太宗谓侍臣曰：“国家法令，惟须简约，不可一罪作数种条。格式既多，官人不能尽记，更生奸诈。若欲出罪①即引轻条，若欲入罪②即引重条。数变法者，实不益道理，宜令审细，毋使互文③。”

【注释】

①出罪：开脱罪责。

②入罪：加重罪责。

③互文：互相有歧义的条文。

【译文】

贞观十年（636），唐太宗对身边的大臣们说：“国家的法令，一定要制定得简约，不可以一个罪名定很多种处罚条令。格式条款太烦琐，官员不能够完全记清楚，更容易生出许多奸诈的事端来。如果要开脱犯人的罪名，有人就会援引从轻处罚的条款，如果要加重罪名，就会引用从重处罚的条款。一再变动法令，对国家的治安非常不利，应该仔细审定法令条款，不要使各条款之间存在歧义。”

## 三

贞观十一年，太宗谓侍臣曰：“诏令[①]格式，若不常定则人心多惑，奸诈益生。《周易》称‘涣汗其大号’，言发号施令，若汗出于体，一出而不复也。《书》曰：‘慎乃出令，令出惟行，弗为反。’且汉祖日不暇给[②]，萧何起于小吏，制法之后，犹称画一。今宜详思此义，不可轻出诏令，必须审定，以为永式。”

【注释】

①诏令：唐朝法律的表现形式。

②日不暇给：事务繁忙，没有空闲。

【译文】

贞观十一年（637），唐太宗对身边的大臣们说：“朝廷发布的诏书格式，如果不能在长期内保持固定，人们就会产生很多疑惑，恐怕会滋生出许多奸诈行为来。《周易》上说‘像出汗一样发号施令’，意思是说皇帝的诏书就像汗水流出身体，一旦发出就收不回来了。《尚书》上说：‘发布命令要谨慎，命令一旦发出就要坚决执行，不能反悔和更改。’汉高祖时，政务繁忙，萧何也是由小官出身，可他们制定出的律令，还称得上是整齐划一。如今我们应仔细思考这个问题，不能轻易颁发诏书，格式也一定要小心审定，让它作为一个固定的准则保持下来。”

## 四

长孙皇后遇疾，渐危笃[①]。皇太子启后曰：“医药备尽，今尊体不瘳，请奏赦囚徒并度人入道，冀蒙福助。”

后曰：“死生有命，非人力所加。若修福可延，吾素非为恶者；若行善无效，何福可求？赦者，国之大事，佛道者，上每示存异方之教耳。常恐为理体之弊，岂以吾一妇人而乱天下法？不能依汝言。”

【注释】

①笃：指病情严重。

【译文】

长孙皇后生了病，病情日渐严重。皇太子对皇后说：“所有的医药都用遍了，现在母后的尊体仍没有痊愈，请允许我启奏父皇赦免囚犯，并超度一些人出家奉佛，希望能得到上天神灵的保佑赐福。”

长孙皇后说：“生和死都是命里注定的，不是人力所能改变的。如果行善修福能延长寿命，那我平日没做过什么恶事；如果平素做善事都无效，那还有什么福可求呢？赦免罪犯是国家的大事，佛道只不过是皇上有意识保留的一种异域宗教罢了。他经常担心这成为有违治国体统的弊病，怎么能因为我一个妇人而扰乱了国家的法度呢？不能按你说的话去做。”

## 贡赋第三十三

### 一

贞观二年，太宗谓朝集使曰："任土作贡，布在前典，当州所产，则充庭实[1]。比闻都督、刺史邀射[2]声名，厥土所赋，或嫌其不善，逾意外求，更相仿效，遂以成俗。极为劳扰，宜改此弊，不得更然。"

【注释】

①庭实：陈列于朝堂的贡献物品。

②邀射：追求，谋取。

【译文】

贞观二年（628），唐太宗对从各地来朝廷进贡的使者说："根据土地的生产情况确定贡赋，都记载在以前已发布的政典中，本州的土特产品，就充当朝堂的贡献物品。近来我听说有些都督、刺史为了追求声名，因嫌本地的贡赋特产不好，就逾越州境到外地寻求，各地官吏相互仿效，已经成为风气。这样做会劳民伤财，应该改掉这种弊病，以后不能再这么做了。"

### 二

贞观十二年，疏勒、朱俱波、甘棠遣使贡方物。太宗谓群臣曰："向使中国不安，日南、西域朝贡使亦何缘而至？朕何德以堪之！睹此翻怀危惧。近代平一天下，拓定边方者，惟秦皇、汉武。始皇暴虐，至子而亡。汉武骄奢，国祚几绝。朕提三尺剑以定四海，远夷率服，亿兆乂安[1]，自谓不减二主也。然二主末途皆不能自保，由是每自惧危亡，必不敢懈怠。惟藉公等直言正谏，以相匡弼。若惟扬美隐恶，共进谀言，则国之危亡，可立而待也。”

【注释】

①安：安定，太平无事。

【译文】

贞观十二年（638），疏勒、朱俱波、甘棠等国派使者向大唐进贡特产。唐太宗对各位大臣说：“如果天下不安定，日南、西域各国的朝贡使者为什么会来呢？我何德何能，能得到这样的礼遇！最近朝代中能够统一天下、开拓疆域、安定边关的，只有秦始皇和汉武帝。但秦始皇暴虐无道，到他的儿子那一代就灭亡了。汉武帝骄傲奢侈，国运几乎断绝了。我手持三尺宝剑平定天下，远方蛮异纷纷臣服，天下太平，我自认为功业不逊于这两位帝王。但是这两个帝王晚年都不能保全自己的国家，因此，我每天都害怕国家有灭亡的危险，不敢有丝毫懈怠。只希望各位大臣直言进谏，来纠正我的过失，辅佐我治理好国家。如果只是一味地赞美功绩、隐瞒过失，尽是阿谀奉承的言辞，那么国家危亡的日子，很快就会到来。”

## 三

贞观十八年，太宗将伐高丽，其莫离支遣使贡白金。黄门侍郎褚遂良谏曰："莫离支虐杀其主，九夷[①]所不容，陛下以之兴兵，将事吊伐[②]，为辽东之人报主辱之耻。古者讨弑君之贼，不受其赂。昔宋督遗鲁君以郜鼎，桓公受之于大庙，臧哀伯谏曰：'君人者将昭德塞违，今灭德立违而置其赂器于大庙，百官象之，又何诛焉！武王克商，迁九鼎于雒邑，义士犹或非之。而况将昭违乱之赂器，置诸大庙，其若之何？'夫《春秋》之书，百王取则，若受不臣之筐篚[③]，纳弑逆之朝贡，不以为愆[④]，将何致伐？臣谓莫离支所献，自不合受。"

太宗从之。

【注释】

①九夷：泛指东方各族。

②吊伐：吊民伐罪。意为慰问被压迫的百姓，讨伐有罪的统治者。

③筐篚（fěi）：盛物的竹器，古代用以装丝帛之类的贡物。

④不以为愆：不认为是罪过。

【译文】

贞观十八年（644），唐太宗将要攻打高丽，高丽的莫离支派使者向大唐进献白金。黄门侍郎褚遂良进谏说："莫离支残暴地杀害了他们的国君，这是东方各族都不能容忍的，陛下因此而出兵讨伐他，悼唁高丽的亡君，为高丽的百姓洗刷国君被杀的耻辱。古时候讨伐杀害君主的罪人的人，是不会接受罪人的贿赂的。春秋时，宋国宋督公杀了殇公，把郜鼎送给鲁桓公，鲁桓公接受了郜鼎并把它放置在太庙里。鲁国大夫臧哀伯进谏说：‘国君应该弘扬道德，杜绝邪恶，现在大王却在助长邪恶，损害道德，把受贿的物品供奉在太庙之中，文武百官如果效仿，又用什么理由诛杀他们呢？周武王灭亡了商朝，把商朝的九鼎搬迁到雒邑，仁人义士还说他做得不对，更何况把明显是犯上作乱者贿赂的器物放置在太庙里呢？’《春秋》上的记载，是值得历代国君取法的准则，如果接受不义臣子的礼物和杀君的叛臣的贡奉，却不认为是罪过，那还有什么理由讨伐高丽呢？我认为莫离支进献的白金，自然不可以接受。”

唐太宗听从了他的意见。

# 辨兴亡第三十四

## 一

贞观初，太宗从容谓侍臣曰："周武平纣之乱，以有天下；秦皇因周之衰，遂吞六国。其得天下不殊，祚运[①]长短若此之相悬也？"

尚书右仆射萧瑀进曰："纣为无道，天下苦之，故八百诸侯不期而会[②]。周室微，六国无罪，秦氏专任智力，蚕食诸侯。平定虽同，人情则异。"

太宗曰："不然，周既克殷，务弘仁义；秦既得志，专行诈力。非但取之有异，抑亦守之不同。祚之修短，意在兹乎！"

【注释】

①祚运：福运。

②不期而会：未经约定而自动聚集。

【译文】

贞观初年，唐太宗从容地对身边的大臣们说："周武王平定了商纣王的祸乱，取得了天下；秦始皇趁周王室衰微，就吞并了六国。他们统一天下的过程没有什么不同，福运的长短为什么如此悬殊呢？"

尚书右仆射萧瑀回答说："商纣王治理无道，使天下的人都为之受苦，所以八百诸侯未经约定而自动聚集讨伐纣王。周王室虽然衰微，但六国没有罪过，秦国完全是倚仗智谋武力，逐渐吞并诸侯的。因此虽然同样是统一平定天下，人们对待他们的态度却不相同。”

唐太宗说：“不全是这样，周朝灭了殷商以后，努力推行仁义道德；秦国达到目的以后，却一味地施行欺诈和暴力。他们不仅在取得天下的方式上不一样，而且守护天下的方式也不相同。福运之所以有长有短，道理就在这里吧！”

## 二

贞观二年，太宗谓黄门侍郎王珪曰：“隋开皇十四年大旱，人多饥乏。是时仓库盈溢，竟不许赈给，乃令百姓逐粮[1]。隋文不怜百姓而惜仓库，比至末年，计天下储积，得供五六十年。炀帝恃此富饶，所以奢华无道，遂致灭亡。炀帝失国，亦此之由。凡理国者，务积于人，不在盈其仓库。古人云：‘百姓不足，君孰与足[2]。’但使仓库可备凶年[3]，此外何烦储蓄！后嗣若贤，自能保其天下；如其不肖，多积仓库，徒益其奢侈，危亡之本也。”

【注释】

①逐粮：追逐粮食。指在灾年百姓逃荒到有粮食的地方。

②百姓不足，君孰与足：语出《论语·颜渊》。意为如果百姓生活不富足，那么国君怎么会富足？

③凶年：指灾荒年。

【译文】

贞观二年（628），唐太宗对黄门侍郎王珪说：“隋朝开国十四年发生了大旱，众多百姓忍饥挨饿。当时国家粮仓贮存充盈，可是朝廷竟然不允许用粮食赈济灾民，而是让老百姓逃荒到有粮食的地方。隋文帝不爱惜百姓却吝惜粮食，到了他晚年，统计粮仓贮存的粮食，可供全国食用五六十年。隋炀帝依仗着这种富足，所以豪华奢侈，荒淫无道，终于导致国家灭亡。隋炀帝的亡国，就是由此而来。凡是治理国家的人，首要的任务在于让百姓积蓄财物，不在于国库的充溢。古人说：'老百姓不富足，国君又怎么能够富足呢？'只要仓库的贮备足以对付灾年，贮存再多的粮食又有什么用呢？子孙后代如果贤明，他自然可以保住江山；如果他昏庸，国库粮食充足，也只会助长他奢侈浪费的习气而已，这是国家灭亡的祸根。"

## 三

贞观五年，太宗谓侍臣曰："天道福善祸淫，事犹影响。昔启人亡国来奔，隋文帝不吝粟[1]帛，大兴士众，营卫安置，乃得存立。既而强富，子孙不思念报德，才至始毕，即起兵围炀帝于雁门。及隋国乱，又恃强深入，遂使昔安立其国家者，身及子孙，并为颉利兄弟之所屠戮。今颉利破亡，岂非背恩忘义所至也！"

群臣咸曰："诚如圣旨。"

【注释】

①粟：俗称小米。

【译文】

贞观五年（631），唐太宗对身边的大臣们说："上天是使善人得福、恶人遭殃，有些事还是有报应的。过去突厥的启民可汗亡国投奔隋文帝，隋文帝不吝惜钱财粮食，动员了大批士兵百姓守卫安置他们，他们才能够生存下来。不久突厥富强了，启民可汗的子孙却不想报答恩情，到启民可汗的儿子始毕可汗时，就起兵把隋炀帝围困在雁门关。等到隋朝大乱，又依仗着兵强马壮长驱直入，以致过去帮助他们立国安家的隋朝官员和其子孙，都被颉利可汗兄弟屠杀。如今颉利灭亡了，难道不是忘恩负义带来的报应吗？”

大臣们都说：“确实像陛下所说的那样。”

## 四

贞观九年，北蕃归朝人奏：“突厥内大雪，人饥，羊马并死。中国人在彼者皆入山作贼，人情大恶。”

太宗谓侍臣曰：“观古人君，行仁义，任贤良则理；行暴乱，任小人则败。突厥所信任者，并共公等见之，略无忠正可取者。颉利复不忧百姓，恣情[①]所为，朕以人事观之，亦何可久矣？”

魏徵进曰：“昔魏文侯问李克：‘诸侯谁先亡？’克曰：‘吴先亡。’文侯曰：‘何故？’克曰：‘数战数胜，数胜则主骄，数战则民疲，不亡何待？’颉利逢隋末中国丧乱，遂恃众内侵，今尚不息，此其必亡之道。”

【注释】

①恣情：纵情，任意。

【译文】

贞观九年（635），北方突厥归顺唐朝的人上奏说：“突厥境内连降大雪，百姓饥荒，羊和马都死了。住在那里的汉人都跑到山里做了强盗，民情特别不好。”

唐太宗对身边大臣们说：“观察古代的君主，实行仁义、任用贤良就能使国家得以治理；施行暴政、任用小人国家就会败亡。突厥君主所信任的人，我们大家都看到了，根本没有忠诚正直可取的。颉利又不关心百姓，肆意妄为，我从突厥人情事理上来分析，他又怎么可能长久统治呢？”

魏徵进言说道：“从前魏文侯问李克：‘诸侯之中谁会最先灭亡？’李克回答：‘吴国先灭亡。’魏文侯又问：‘为什么呢？’李克说：‘屡战屡胜，胜利多了君主就会骄傲，而经常发动战争就会使民生疲弊，不灭亡还等什么呢？’颉利趁着隋末中原大乱，就依仗自己兵强马壮入侵中原，到今天还不罢休，这就是他必然灭亡的原因。”

## 五

贞观九年，太宗谓魏徵曰：“顷读周、齐史，末代亡国之主，为恶多相类也。齐主①深好奢侈，所有府库，用之略尽，乃至关市无不税敛。朕常谓此犹如馋人自食其肉，肉尽必死。人君赋敛不已，百姓既弊，其君亦亡，齐主即是也。”

【注释】

①齐主：指齐后主，名纬，世祖之子。

## 【译文】

贞观九年（635），唐太宗对魏徵说：“近来我读北周、北齐的史书发现，末代亡国的君主，所做的恶事大多数都很相似。齐后主非常喜欢奢侈，府库所有储藏，几乎都被他用光了，以至于关口、集市无处不征收赋税来收敛钱财。我经常说，这就像嘴馋的人吃自己身上的肉一样，肉吃完了自己也就死了。君主不停地征敛赋税，百姓已经疲惫不堪，他们的君主也就灭亡了，齐后主就是这样灭亡的。”

# 征伐第三十五

## 一

贞观四年，有司上言：“林邑蛮国，表疏不顺，请发兵讨击之。”

太宗曰：“兵者，凶器，不得已而用之。故汉光武云：‘每一发兵，不觉头须为白。’自古以来，穷兵极武，未有不亡者也。苻坚自恃兵强，欲必吞晋室，兴兵百万，一举而亡。隋主亦必欲取高丽，频年劳役，人不胜怨，遂死于匹夫之手。至如颉利，往岁数来侵我国家，部落疲于征役，遂至灭亡。朕今见此，岂得辄即发兵？且经历山险，土多瘴疠，若我兵士疾疫，虽克剪①此蛮，亦何所补？言语之间，何足介意！”竟②不讨之。

【注释】

①克剪：消灭。

②竟：最后。

【译文】

贞观四年（630），有大臣上奏说：“南方的林邑国，上的奏章中言辞不够恭顺，请陛下发兵讨伐他们。”

唐太宗说：“兵器是凶险的东西，不到万不得已不要采用。所以汉光武帝说：‘每次发兵打仗，不知不觉都会使我的头发变白。’自古以来，凡是穷兵黩武的人，没有不自取灭亡的。苻坚自恃兵力强大，一心想要吞并晋朝，于是出兵百万，结果一次战争就失败灭亡了。隋炀帝当初也一直想攻破高丽，多年征战劳役不断，老百姓苦不堪言、怨声不止，他最后也死于匹夫之手。至于突厥颉利，几年来他多次进犯中原，其部落的人们被战事弄得疲惫不堪，终于也灭亡了。有这些前车之鉴，我怎么还能轻易出战呢？况且到南方作战，要翻越崇山峻岭，那里又瘴气弥漫，瘴疠流行，如果士兵们被传染上，即使战胜了南蛮，又有什么好处呢？何况，南蛮林邑只是在言语之间流露不恭，又何必太在意呢？”最后唐太宗决定不讨伐林邑国。

## 二

太宗《帝范》[①]曰：“夫兵甲者，国家凶器也。土地虽广，好战则民凋；中国虽安，忘战则民殆。凋非保全之术，殆非拟寇之方，不可以全除，不可以常用。故农隙讲武，习威仪也；三年治兵，辨等列也。是以勾践轼蛙[②]，卒成霸业；徐偃弃武，终以丧邦。何也？越习其威，徐忘其务也。孔子曰：‘以不教人战，是谓弃之。’故知弧矢之威，以利天下，此用兵之职也。”

【注释】

①《帝范》：唐太宗李世民撰写的一部论述人君之道的政治文献。

②勾践轼蛙：轼，古代车厢扶手横木，立乘扶轼表示敬意。意为激励士卒的锐气。

【译文】

唐太宗在他作的《帝范》一书里写道："武器、铠甲是国家的凶器。疆域虽然辽阔，如果穷兵黩武，也会导致民生凋敝；国家虽然平静，但忽略了战备，百姓就会懈怠。百姓凋敝不是保全国家的办法，懈怠更不是御敌的策略，武装既不能完全解除，又不可经常运用。因此百姓农闲时，应该讲习武艺，以彰显熟悉大唐的威仪；三年练兵，以辨别等级位次。所以越王勾践为雪亡国之耻，每次见到青蛙，都要下车跪拜，从而激励士气，终于成其霸业；徐偃王放弃武器配备，仅仅依赖文德治国，最终丧失了国家。这是为什么呢？因为越王加强武功，而徐偃忘记战备。孔子说：'让没有受过训练的百姓去作战，就等于是抛弃他们。'因此要知道，练习弓箭掌握它的威力，是为了安定天下，这就是用兵者的职责。"

# 安边第三十六

## 一

贞观四年，李靖击突厥颉利，败之，其部落多来归降者，诏议安边之策。

温彦博曰："天子之于万物也，天覆地载，有归我者则必养之。今突厥破除，余落归附，陛下不加怜愍，弃而不纳，非天地之道，阻四夷之意，臣愚甚谓不可，宜处之河南。所谓死而生之，亡而存之，怀我厚恩，终无叛逆。"

彦博又曰："臣闻圣人之道，无所不通。突厥余魂，以命归我，收居内地，教以礼法，选其酋首，遣居宿卫，畏威怀德，何患之有？且光武居河南单于于内郡，以为汉藩翰，终于一代，不有叛逆。"又曰："隋文帝劳兵马，费仓库，树立可汗，令复其国，后孤恩失信，围炀帝于雁门①。今陛下仁厚，从其所欲，河南②、河北，任情居住，各有酋长，不相统属，力散势分，安能为害？"

【注释】

①雁门：指雁门关。

②河南：指黄河以南河套一带。

【译文】

贞观四年（630），李靖打败突厥颉利可汗，很多突厥部落都归顺了大唐，唐太宗下诏讨论安定边境的政策。

温彦博说：“天子对待万事万物，就像天上覆盖、大地承载一样，只要归附，我们就应该收养他们。如今突厥兵败，余部前来归降，如果陛下对他们不加怜悯，反而弃他们于不顾，这不是天覆地载的道理，而且阻绝了外族的诚意也不是天子的胸襟。我虽愚钝，但也认为万万不可，而应把他们安置在黄河以南一带。这就是常言说的：让濒临死亡的人活下去，让将要灭亡的能存在下去，要常怀仁爱之心，使他们感激我皇的深厚恩德，就不会发生叛乱。”

温彦博又说：“我听说圣人的主张，没有什么地方是达不到的。突厥残留的人们将身家性命交给了我们，收留他们并让其居住在中原，用礼仪法度去教化他们，选拔他们中间有为的人做首领，派遣他们在宫中担任警卫人员，一方面，他们畏惧皇族的威力，另一方面会感恩皇帝的恩德，怎么会有祸乱发生呢？而且汉光武帝让南单于的族众居住在平原，作为东汉的屏障，这样的情况经历了整整一个朝代也没有发生叛乱。”温彦博又说：“隋文帝兴师动众，无休止地耗费财物，为突厥树立可汗首领，让他们恢复自己的国家，可后来这些突厥人完全没有念及隋文帝的恩德，并且不守信用地在雁门关围攻隋炀帝。现在陛下仁慈宽厚，能够顺从他们的意愿，让他们任意在河套南北地区居住，并在各自的部落设置酋长，相互之间不能统属，将他们的势力分散开来，如此的话怎么能够成为祸害呢？”

## 二

贞观十四年，侯君集平高昌之后，太宗欲以其地为州县。

魏徵曰："陛下初临天下，高昌王先来朝谒，自后数有商胡称其遏绝[1]贡献，加之不礼大国诏使，遂使王诛载加[2]。若罪止文泰，斯亦可矣。未若因抚其民而立其子，所谓伐罪吊民，威德被于遐外，为国之善者也。今若利其土壤以为州县，常须千余人镇守，数年一易。每来往交替，死者十有三四，遣办衣资，离别亲戚，十年之后，陇右空虚，陛下终不得高昌撮谷尺布以助于中国。所谓散有用而事无用，臣未见其可。"

太宗不从，竟以其地置西州，仍以西州为安西都护府，每岁调发千余人，防遏其地。

【注释】

①遏绝：阻止禁绝。

②载加：一再地增加。

【译文】

贞观十四年（640），侯君集平定高昌之后，唐太宗想在高昌设立州县。

魏徵反对说道："陛下刚登上皇位的时候，高昌王首先前来朝谒，后来经商的胡人多次告发高昌王，阻止他们向朝廷进献贡奉，加上高昌王对我国的使者不以礼相待，使得皇上一再增加对他们的讨伐。如果朝廷只对高昌王麹文泰一个人定罪，也还合情合理。依臣之言，不如借助这个机会安抚那里的百姓，并立高昌王的后代为王。常言道：处罚有罪的君王，安抚受难的百姓，让国家的威名和仁德播散到遥远的外邦，这才是治国安边最好的策略。如果现在因为贪图那里的土地而在高昌王的土地上设立州县，就必须常年派遣成百上千的人去镇守，几年还要更换一次。每次来往换防，士兵们都往来奔波，死于劳顿的就有十分之三四，还要派人为他们添置衣物，并使他们离别亲人，饱受背井离乡之苦。这样的话，十年过后，陇西地区肯定会变得荒寂空虚，而陛下最终得不到高昌国一把谷子、一尺帛布的援助。这其实是拆散有用的资财，去做无用的事情，我看不出有什么切实可行的道理。”

唐太宗没有听从他的意见，最后在高昌王的土地上设置了西州属地，定西州为安西都护府，每年调派一千多人，前去驻守这个地方。

## 三

至十六年，西突厥遣兵寇西州。太宗谓侍臣曰：“朕闻西州有警急，虽不足为害，然岂能无忧乎？往者初平高昌，魏徵、褚遂良劝朕立麹文泰子弟，依旧为国，朕竟不用其计，今日方自悔责。昔汉高祖遭平城之围而赏娄敬，袁绍败于官渡而诛田丰。朕恒①以此二事为诫，宁得忘所言者乎！”

【注释】

①恒：经常，常常，总是。

【译文】

到了贞观十六年（642），西突厥派兵进犯西州地区。唐太宗对身边的大臣们说：“我听说西州有紧急军情，虽然还不足以构成大的危害，但怎么能高枕无忧呢？从前我刚刚平定高昌的时候，魏徵、褚遂良劝我立麹文泰的子弟为国君，归还他们的土地，让高昌依旧成为一个国家，我最终没有采纳他们的意见，现在才后悔自责。过去汉高祖不听娄敬的劝谏，没有出兵匈奴，结果遭到平城之围，事后汉高祖大大赏赐了娄敬，袁绍不听谋臣田丰的建议，于官渡大战中大败而逃，事后还听信谗言将田丰诛杀了。我常常以这两件事为戒，怎么能够忘记这些曾经劝谏过我的人呢？”

# 行幸第三十七

## 一

贞观初，太宗谓侍臣曰："隋炀帝广造宫室，以肆行幸，自西京至东都，离宫别馆，相望道次，乃至并州①、涿郡，无不悉然。驰道皆广数百步，种树以饰其傍。人力不堪，相聚为贼。逮至末年，尺土一人，非复己有。以此观之，广宫室，好行幸，竟有何益？此皆朕耳所闻，目所见，深以自诫。故不敢轻用人力，惟令百姓安静，不有怨叛而已。"

【注释】

①并州：今河北涿州一带。

【译文】

贞观初年，唐太宗对身边的大臣们说："隋炀帝大兴土木营建宫室，用来纵情游乐，从长安到洛阳，沿途离宫别馆随处可见，以至于并州、涿郡也都是这种情况。驰道有几百步宽，两边还种上树作为装饰。百姓无力承担徭役和劳役的重负，相继聚集起来反抗。到了隋朝末年，隋炀帝已经众叛亲离，没有一尺土地、一个百姓再属于他了。这样看来，大造宫室，喜爱游乐，到底有什么好处呢？隋朝从兴到亡的过程是我耳闻目睹经历过的事，这样的教训，应该深以为戒。因此，我不敢轻易动用人力，只想让百姓安居乐业，不要发生怨恨、叛乱才好。"

## 二

贞观十一年，太宗幸洛阳宫，泛舟于积翠池，顾谓侍臣曰："此宫观台沼并炀帝所为，所谓驱役生人，穷此雕丽，复不能守此一都，以万人为虑。好行幸不息，人所不堪。昔诗人云：'何草不黄？何日不行[①]？''小东大东，杼轴其空[②]。'正谓此也。遂使天下怨叛，身死国灭，今其宫苑尽为我有。隋氏倾覆者，岂惟其君无道？亦由股肱无良。如宇文述、虞世基、裴蕴之徒，居高官，食厚禄，受人委任，惟行谄佞，蔽塞聪明，欲令其国无危，不可得也。"

【注释】

①何草不黄，何日不行：《诗经》中的句子，意为哪有花草不枯黄，哪些日子不奔忙？

②小东大东，杼轴其空：《诗经》中的句子，意为东方各诸侯小国，财产都被搜罗光。

【译文】

贞观十一年（637），唐太宗巡游洛阳宫，在积翠池上泛舟，他回头看着身边的大臣们说："这里的宫苑台榭都是隋炀帝建造的，此前他驱使万民，耗费无尽财物修筑精雕细刻的宫室，丝毫不关心老百姓的疾苦；又不能镇守这座都城，为百姓着想；喜欢不停地出游，人民实在不能忍受。古代诗人说：'哪有花草不枯黄，哪些日子不奔忙？''东方各诸侯小国，财产都被搜罗光。'说的正是这种情形。隋炀帝的荒淫无常导致天下人怨恨和叛乱，最后落得国破家亡，现在，他的宫殿完全归我所有了。隋代灭亡的原因，难道仅仅是君主无道吗？其实辅佐他的大臣们也不忠良。像宇文述、虞世基、裴蕴这些人，他们身居高位，享受着朝廷的丰厚俸禄，被皇帝委以重任，却只知道行小人谄媚之事，扰乱视听，这样要使朝廷不危亡，不可能有这样的道理。”

## 三

贞观十三年，太宗谓魏徵等曰：“隋炀帝承文帝余业，海内殷阜[1]，若能常处关中，岂有倾败？遂不顾百姓，行幸[2]无期。径往江都，不纳董纯、崔象等谏诤，身戮国灭，为天下笑。虽复帝祚长短，委以玄天，而福善祸淫，亦由人事。朕每思之，若欲君臣长久，国无危败，君有违失，臣须极言。朕闻卿等规谏，纵不能当时即从，再三思审，必择善而用之。”

【注释】

①殷阜：富足。

②行幸：指古代皇帝出行。

【译文】

贞观十三年（639），唐太宗对魏徵等大臣说：“隋炀帝在继承隋文帝基业的时候，海内升平，国家富足，如果他能长期住在关中，怎么可能招致覆灭呢？他不顾百姓疾苦，毫无节度地到各地去巡游，没有归期。径直前往江都，不听从董纯、崔象等大臣的忠言，最终不仅自己死于叛臣之手，也断送了江山社稷，还留下笑柄让天下人耻笑。虽然帝运的长短全由天意决定，但是祸福善恶也是人的行为所决定的。我每每想到这些，都认为若要君臣长久平安、国家不危亡破败，君主一旦有了过错，臣子就必须直言不讳地指出来。我对你们提出的意见，即使不能当时立刻同意，但在我反复思考之后，一定会选择好的意见加以采纳。”

## 四

贞观十二年，太宗东巡狩，将入洛，次于显仁宫，宫苑官司多被责罚。

侍中魏徵进言曰：“陛下今幸洛州，为是旧征行处，庶其安定，故欲加恩故老。城郭之民未蒙德惠，官司苑监多及罪辜，或以供奉之物不精，又以不为献食，此则不思止足，志在奢靡。既乖行幸本心，何以副百姓所望？隋主先命在下多作献食，献食不多，则有威罚。上之所好，下必有甚，竞为无限，遂至灭亡。此非载籍所闻，陛下目所亲见，为其无道，故天命陛下代之。当战战栗栗，每事省约，参踪前列，昭训子孙，奈何今日欲在人之下？陛下若以为足，今日不啻[①]足矣。若以为不足，万倍于此，亦不足也。”

太宗大惊曰：“非公，朕不闻此言。自今已后，庶几无如此事。”

【注释】

①不啻：不仅，不止。

【译文】

贞观十二年（638），唐太宗东巡，即将抵达洛阳，下榻在显仁宫，负责宫苑事务的各级官员因为侍候不周，受到唐太宗的责罚。

对此，侍中魏徵向唐太宗进谏说："陛下今日到洛阳，是因为这个地方以前在战争期间遭到了祸殃，陛下希望这里获得安宁，所以对洛阳的百姓施以更多的恩惠。但如今这里的百姓非但没得到眷顾，显仁宫的各级官员反而受到了很多无辜的责罚，他们有的是因为进献的物品不精美，有的是因为没能进献甘美的异味珍品。这就是陛下不知足，一心追求奢侈华靡生活的表现。这样做既违背了巡游的初衷，又怎能满足老百姓的期望呢？当初，隋炀帝巡游时就命令下人多多进献食物，如果食物不丰美就要受到责罚。上面的人有什么样的喜好，下面的人一定会加倍效仿满足，这样下去，人就会变得贪得无厌，国家也会走向灭亡。这并不只是史书记载的内容，而是陛下亲眼所见、亲耳所闻的事情。正因为隋炀帝昏庸无道，所以上天才任命委派陛下取而代之。陛下应当战战兢兢，凡事从俭，以前人的风范为楷模，来告诫子孙后代，怎么今天的想法反而在他人之下？如果陛下感到满足了，那么现在的贡品无疑已经足够了。反之，如果陛下始终不感到满足，即使比现在好过千倍万倍的贡品，也不算充足美好。"

唐太宗听后大吃一惊，说："如果不是你，我绝不会听到这样的诤言。从今以后，不会再有此类事情发生了。"

# 畋猎第三十八

## 一

秘书监虞世南以太宗颇好畋猎，上疏谏曰："臣闻秋狝冬狩[①]，盖惟恒典；射隼[②]从禽，备乎前诰[③]。伏惟陛下因听览之余辰，顺天道以杀伐，将欲摧班碎掌，亲御皮轩，穷猛兽之窟穴，尽逸材于林薮。夷凶翦暴，以卫黎元[④]；收革擢羽，用充军器；举旗效获，式遵前古。然黄屋之尊，金舆之贵，八方之所仰德，万国之所系心，清道而行，犹戒衔橛。斯盖重慎防微，为社稷也。是以马卿直谏于前，张昭变色于后。臣诚细微，敢忘斯义？且天弧星罕，所殪[⑤]已多，颁禽赐获，皇恩亦溥。伏愿时息猎车，且韬长戟，不拒刍荛之请[⑥]，降纳涓浍之流，袒裼徒搏，任之群下，则贻范[⑦]百王，永光万代。"

太宗深嘉其言。

【注释】

①秋狝（xiǎn）冬狩：秋天打猎为狝，冬天打猎为狩。此处泛指秋冬季外出打猎。

②隼（sǔn）：一种禽鸟。

③诰：用于告诫劝勉的一种文体。

④黎元：黎民百姓，民众。

⑤殪（yì）：杀死。

⑥刍荛之请：谦称，指臣子的请求。

⑦贻范：指留下的典范。

【译文】

秘书监虞世南认为唐太宗比较喜欢打猎，就上奏章规劝说："我听说国君在秋冬两季打猎，这大概是历来的传统；射杀猛兽和飞禽，前人已有详细的告诫。恳请陛下利用批阅奏章的空闲时间，按照时令进行狩猎，要想猎杀虎豹熊罴，就亲自驾着打猎的车子到凶禽猛兽出没的森林洞穴，猎杀凶残的动物。铲除凶恶，消灭残暴，保卫黎民百姓；用收集的动物皮毛，制作兵器；打猎成功后，让旗帜高高飘扬，以显示赫赫国威并献上猎物，这是在遵循古代先王们传下来的规矩。然而陛下是坐在用黄缯做车盖、金玉装饰的御车中的尊贵天子，全国人民景仰他的德行，他的行动为万国臣民所牵挂，要清理道路才出行，还要仔细检查马嚼子和车之钩心。这样谨小慎微的措施都是为江山社稷着想。此前，汉武帝好猎熊，司马相如上疏力谏，武帝于是打消了此念。后来吴主孙权好射虎，张昭用其中的利害关系对他进行规劝，吴主也接受了意见。我虽人微言轻，但怎敢忘了这个道理？况且四处密布弓箭罗网，射杀的禽兽已经很多了，陛下对狩猎进行嘉奖，浩大的皇恩也已为老百姓所知。希望陛下存放好猎车和器具，适时停止狩猎的活动，采纳臣下的意见，脱衣露体、徒手搏斗的事让臣子去做，那么陛下就可以成为王者之楷模，永载史册了。"

唐太宗听完这番话，对他的意见深表赞许。

## 二

贞观十四年，太宗幸同州沙苑，亲格猛兽，复晨出夜还。

特进魏徵奏言："臣闻《书》美文王不敢盘于游田，《传》述《虞箴》称夷、羿以为戒。昔汉文临峻坂[①]欲驰下，袁盎揽辔曰：'圣主不乘危，不侥幸。今陛下骋六飞，驰不测之山，如有马惊车败，陛下纵欲自轻，奈高庙何？'孝武好格猛兽，相如进谏：'力称乌获，捷言庆忌，人诚有之，兽亦宜然。猝遇逸材之兽，骇不存之地，虽乌获、逢蒙[②]之伎不得用，而枯木朽株尽为难矣。虽万全而无患，然而本非天子所宜。'孝元帝郊泰畤[③]，因留射猎，薛广德称：'窃见关东困极，百姓离灾。今日撞亡秦之钟，歌郑、卫之乐，士卒暴露，从官劳倦，欲安宗庙社稷何？凭河暴虎[④]，未之戒也？'臣窃思此数帝，心岂木石，独不好驰骋之乐？而割情屈己，从臣下之言者，志存为国，不为身也。臣伏闻车驾近出，亲格猛兽，晨往夜还。以万乘之尊，暗行荒野，践深林，涉丰草，甚非万全之计。愿陛下割私情之娱，罢格兽之乐，上为宗庙社稷，下慰群僚兆庶。"

太宗曰："昨日之事，偶属尘昏[⑤]，非故然也，自今深用为诫。"

【注释】

①峻坂：陡坡。

②逢蒙：夏朝有名的射箭手，相传学射于羿。

③泰畤（zhì）：古代祭天神之坛。

④凭河暴虎：凭，从水中走过去。比喻人有勇无谋。

⑤尘昏：尘积昏暗，比喻糊涂。

## 【译文】

贞观十四年（640），唐太宗到同州的沙苑去打猎，他亲自射杀猛兽，经常早出晚归。

特进魏徵上书说："我听说《尚书》上赞美周文王不沉溺于打猎玩乐，《左传》记述《虞箴》里的话说，把喜好打猎的夷、羿作为鉴戒。过去汉文帝面临陡坡，想驱车飞驰而下，大臣袁盎紧紧抓住汉文帝的马辔说：'圣明的君主不乘坐危险的车子，不心存侥幸。现在陛下驱驾六马之车，在路况不明的山坡上飞驰，如果发生马惊车翻的事故，陛下纵然轻视自己的生命，但如何向列祖列宗交代？'汉武帝喜好猎杀猛兽，司马相如进谏说：'论力气人们称赞乌获，论敏捷人们称赞射箭快捷的庆忌，在人类中确实有这样杰出的人。可是同样的，野兽中也必然会有这样异常凶猛的野兽。如果在险恶之境遇到凶猛的野兽，即使有乌获、逢蒙的本领也无计可施，而那些枯枝朽木也会让人为难。皇上打猎虽然有很多人保护，但这种事情也不是帝王该做的。'孝元帝到南郊去祭祀天神，便留下来打猎，大臣薛广德说：'如今关东一带非常贫困，贫苦的百姓正遭受着灾难。这个时候陛下留在这里打猎，是在自撞使秦国覆没的丧钟，歌唱郑国、卫国的靡靡之音，士兵疲于奔命暴露在荒野中，随行的官员劳顿不堪，要想江山永固，为什么不以凭河暴虎的行为来做鉴戒呢？'我所提到的几位帝王，他们都心非木石，难道就偏偏不喜欢骑马打猎的娱乐吗？其实，他们只是能割舍私情，委屈和控制自己，听从臣下的意见，一心为国，不为己而已。我听说陛下最近驾车出去，亲自捕杀猛兽，早出晚归。陛下以如此尊贵之躯，在荒野里跟踪野兽，深入森林，出没于茂草之中，恐怕非万全之策。我希望陛下能舍弃个人狩猎娱乐的私情，上为国家江山着想，下以安慰臣子的担忧之心。”

唐太宗说：“昨天打猎的事属于偶然糊涂，不是经常这样的，今后我会牢记此事并以此为戒。”

# 灾祥第三十九

## 一

贞观六年，太宗谓侍臣曰："朕比见众议以祥瑞①为美事，频有表贺庆。如朕本心，但使天下太平，家给人足，虽无祥瑞，亦可比德于尧、舜。若百姓不足，夷狄内侵，纵有芝草②遍街衢，凤凰巢苑囿，亦何异于桀、纣？尝闻石勒时，有郡吏燃连理木煮白雉肉吃，岂得称为明主耶？又隋文帝深爱祥瑞，遣秘书监王劭著衣冠，在朝堂对考使焚香以读《皇隋感瑞经》。旧尝见传说此事，实以为可笑。夫为人君，当须至公理天下，以得万姓之欢心。若尧、舜在上，百姓敬之如天地，爱之如父母，动作兴事，人皆乐之；发号施令，人皆悦之；此是大祥瑞也。自此后诸州所有祥瑞，并不用申奏。"

【注释】

①祥瑞：吉祥的征兆。

②芝草：灵芝。

【译文】

贞观六年（632），唐太宗对身边的大臣们说："我近来听见人们议论，认为祥瑞的出现是美好的事情，频频有贺表上奏。按照我的本意，只要能使天下太平，家家户户丰衣足食，即使上天没有出现祥瑞之兆，我的德行也可以和尧、舜相比了。如果老百姓穷困不堪、衣食不足，夷狄这些外族又侵犯中原，纵使满街都长满了灵芝，凤凰在苑囿筑巢，这样与桀、纣又有什么差别呢？我听说后赵石勒时，有个郡县的官员点燃连理木，煮白雉肉吃，难道石勒就可因此被称作明君吗？还有，隋文帝最喜欢祥瑞，他派秘书监王劭穿着礼服和礼帽，在朝堂上对着各州朝集使焚香朗读《皇隋感瑞经》。我过去曾经听到传说这样的事情，觉得实在是可笑之极。身为国君，应当用至公无私的心治理好天下，以此来赢得百姓的欢心拥戴。从前，尧、舜在位时，百姓像对待天地那样敬重他们，像对待父母那样爱戴他们。不管兴办什么事情，百姓都乐意去做；他们发号施令，百姓都乐意接受；这才是最大的祥瑞之兆啊！从今以后，各州府如果发现有祥瑞之兆，一律不用申奏给朝廷了。”

## 二

伏惟陛下览古今之事，察安危之机，上以社稷为重，下以亿兆为念。明选举，慎赏罚，进贤才，退不肖。闻过即改，从谏如流。为善在于不疑，出令期于必信。颐神养性，省游畋之娱；去奢从俭，减工役之费。务静方内，而不求辟土；载櫜弓矢[①]，而不忘武备。凡此数者，虽为国之恒道，陛下之所常行。臣之愚昧，惟愿陛下思而不怠，则至道之美，与三、五比隆，亿载之祚，与天地长久。虽使桑榖为妖[②]，龙蛇作孽，雉雊于鼎耳，石言于晋地[③]，犹当转祸为福，变灾为祥，况雨水之患，阴阳恒理，岂可谓天谴而系圣心哉？臣闻古人有言：“农夫劳而君子养焉，愚者言而智者择焉。”辄陈狂瞽，伏待斧钺[④]。

太宗深纳其言。

## 【注释】

①载櫜（gāo）弓矢：櫜，古代盛衣甲或弓箭的囊。指把弓箭收藏起来，引申为休战或议和。

②桑榖为妖：桑榖是一种妖孽。传说中的凶兆。

③石言于晋地：石头开口说话，传说中的凶兆。

④伏待斧钺（yuè）：伏地等待诛杀。

## 【译文】

希望陛下能纵览通晓古今之事，体察政治的安危得失，上以国家为重，下以苍生为念。公正公开地选举官员，慎重地实施奖赏惩罚，选择提拔贤才，斥退庸人之辈。听闻自己的过失就加以改正，接受规劝要像流水一样自然。做善事要毫不犹豫，发布命令一定要有诚信。要保养精神性情，减少游猎娱乐的活动；要去掉奢侈，一切从俭，节省大兴土木的费用。要尽力保持国内安定，不要无休止地开疆拓土；要把武器收藏起来，但也不可忘了军备的必要。以上几点，是治国应当坚持的原则，陛下自己也在身体力行。以我的愚昧，只希望陛下能持之以恒、多加思考，这样完美的道德就能和三皇五帝相比，亿万年的国运也会如天地般长久。即使出现桑榖那样的妖孽，有龙蛇兴妖作怪，野雉飞到鼎上鸣叫，晋地的石头会开口说话这样的怪事，也会转祸为福，化凶为吉，何况雨水这样的自然灾害，是阴阳变化的自然现象，怎么可以说是上天在谴责陛下，而让您如此忧心不安呢？我听古人说过这样的话：“农民劳动生产粮食而为君子食用，愚昧的人发表议论被聪明的人择善而从。”我妄自陈述肤浅之见，冒死进言等待陛下的重罚。

唐太宗很认同他的话，并采纳了他的意见。

# 慎终第四十

一

贞观五年，太宗谓侍臣曰："自古帝王亦不能常化，假令内安，必有外扰。当今远夷率服，百谷丰稔，盗贼不作，内外宁静。此非朕一人之力，实由公等共相匡辅。然安不忘危，理不忘乱，虽知今日无事，亦须思其终始。常得如此，始是可贵也。"

魏徵对曰："自古已来，元首①股肱不能备具，或时君称圣，臣即不贤；或遇贤臣，即无圣主。今陛下圣明，所以致理。向若直有②贤臣，而君不思化，亦无所益。天下今虽太平，臣等犹未以为喜，惟愿陛下居安思危，孜孜不怠耳！"

【注释】

①元首：头。这里指君王。

②直有：只有。

【译文】

贞观五年（631），唐太宗对身边的大臣们说："自古以来，帝王也不能长期消除祸乱，假如国家内部安定，那么必定就会有外乱骚扰。现在远方外族都已经归顺，五谷丰登，没有盗贼出现，国家内外宁静祥和。这样的局面绝对不是我一个人能创造的，实在是各位大臣鼎力辅佐的结果。然而安宁时也不能忘记危亡，太平时也不能忘记战乱，虽然今日无事，也得考虑让这种情况保持始终。要经常这样反省思索，才是难能可贵。”

魏徵赞同地说：“自古以来，君主和大臣不可能都完美，有时君主圣明，臣下却不贤良；有时大臣贤良，却没有圣明的君主。如今陛下圣明，所以天下太平。假如大唐只有贤臣，而君主不想广施教化，也不会有什么益处。现在虽然国家升平，但是臣等还不敢以此自喜，也希望陛下能居安思危，孜孜不倦，不要懈怠啊！”

## 二

《书》曰：“不作无益害有益，功乃成；不贵异物贱用物，人乃足。犬马非其土性不畜，珍禽奇兽弗育于国。”陛下贞观之初，动遵尧、舜，捐金抵璧，反朴还淳。顷年以来，好尚奇异，难得之货，无远不臻，珍玩之作，无时能止。上好奢靡而望下敦朴，未之有也。末作滋兴[①]，而求丰实，其不可得亦已明矣。此其渐不克终五也。

【注释】

①滋兴：繁兴。

【译文】

《尚书》上说：“不要做徒劳无益的事来妨碍有益的事，事业才会大功告成；不要看重奇珍异宝以迷惑人们的心灵，使他们轻贱日常之物，只有这样老百姓才会知足。狗、马这些家畜不是本地生长的就不要驯服饲养，而珍禽异兽则因为其自然的野性也不要养育在国内。”陛下在贞观初期，动则仿效尧、舜，弃绝金银珠宝，返璞归真。可是近年来，猎奇之心日起，喜欢奇珍异宝之类中原罕见的东西，无论多远也要从异域运送过来，珍奇玩物的制作，没有时间能够停止。皇上自己嗜好奢侈品，却希望黎民百姓保持淳朴的民风，这是没有过的事。朝廷不为民造福，却奢望国富民强，很显然这是不可能办到的。这是陛下渐渐不能坚持到底的第五个方面。